Zo verander je iedereen, inclusief jezelf

Eerder verscheen van David J. Lieberman

Verbeter uzelf! Begrijp en verander de 100 meest vervelende, vreemde, negatieve en beperkende gedragingen en gewoontes

Zo krijg je alles van iedereen gedaan

DAVID J. LIEBERMAN

Zo verander je iedereen, inclusief jezelf

the house of books

Oorspronkelijke titel
How to Change Anybody – Proven Techniques to Reshape Anyone's Attitude,
Behavior, Feelings or Beliefs
Uitgave
St. Martin's Press, New York
Copyright © 2005 by David J. Lieberman, Ph.D

Copyright voor het Nederlandse taalgebied © 2005 by The House of Books,
Vianen/Antwerpen

Vertaling
Rob van Altena
Omslagontwerp
Steef Liefting, Amsterdam
Omslagfoto
Harm Kuiper

ISBN 90 443 1343 6
NUR 770
D/2005/8899/116

INHOUD

DEEL I
Zo kan je ieders overtuigingen en waarden veranderen
Leer met psychologische methoden ongezonde ideeën over wie of wat dan
ook te verjagen en iedereen zijn menselijke waarden weer terug te geven.

DEEL II

Zo verander je ieders gemoedstoestand
Maak ongelukkige mensen gelukkig en neuroten normaal en iedereen
stabiel, gelukkiger en evenwichtiger. Of het je ouder, vriend(in), man, vrouw
of patiënt is: verbeter blijvend ieders gemoedstoestand.

DEEL III

Plastische chirurgie voor de persoonlijkheid
Ontdek de psychologische beginselen waarmee je iemands persoonlijkheid,
aard en karakter in een andere baan kan leiden. Verander zo'n onprettig,
zelfgenoegzaam, lui, egocentrisch, in zichzelf gesloten mens in een
hartelijke, vriendelijke en ontspannen levensgenieter.

DEEL IV

Zo verander je ieders levenshouding en gedrag
Gebruik de kracht van de psychologie om iedereen van elke negatieve
houding en van elk ongewenst gedrag af te helpen. Of het je patiënt, je kind,
je vriend of je echtgenoot is, help iedereen snel en voorgoed – ook hij die niet
wil veranderen of denkt dat hij dat niet hoeft.

DANKWOORD

Bij het maken en doen slagen van elk boek zijn veel hardwerkende, enthousiaste en toegewijde mensen betrokken geweest. Mijn dank en waardering gaan uit naar mijn agent, Ian Klienert van The Literary Group, de perfecte vakman met wie het een genoegen is om samen te werken. Jennifer Enderlin, mijn talentvolle redactrice bij St. Martin's Press: dank voor je fantastische inzichten en je goede voorstellen. Ook aan bureauredactrice Patricia Phelan en persklaarmaakster Meryl Gross heel veel dank. Hun harde werken is door heel het boek heen merkbaar. Veel dank ook aan John Karle, een buitengewone reclameman, en aan het geweldige verkoopteam bij St. Martin's dat zo onvermoeibaar met onze vorige boeken aan de slag is gegaan: heel veel dank voor jullie gestage, prima arbeid.

En bovenal mijn allerhartelijkste dank aan de lezers die zo van mijn vorige boeken genoten hebben: jullie hartelijke en waarderende brieven geven mij energie om door te gaan met het schrijven van boeken die ons leven op de een of andere manier een beetje kunnen verrijken.

INLEIDING

Laat je door gekke mensen niet zelf gek maken. Laat vervelende, kleinzielige, onaangename mensen geen vat op je krijgen. Waarom gekrenkt en teleurgesteld worden door mensen die niet naar je luisteren, je niet respecteren en niet geven om jou of om wat je wilt? En of het nu je kind is of je echtgenoot, vriend, klant, patiënt, baas of collega, waarom alleen maar met die mensen 'omgaan' als je ze ook kunt veranderen?

Zo verander je iedereen, inclusief jezelf geeft je het psychologische gereedschap in handen om iedereen tot een beter mens om te vormen. Om mensen blijvend te veranderen, niet alleen maar met moeilijke mensen te leren omgaan of ze te leren verdragen.

Voordat je het met je vriend of vriendin uitmaakt of je werknemer eruit gooit of je schoonmoeder afschrijft: verander hen liever in heel nieuwe mensen. Waarom jezelf in allerlei bochten wringen om je bij anderen aan te passen als je ook recht op de kern van het probleem – hún overtuiging, levenswaarden, houding of persoonlijkheid – kunt afgaan en dat snel en blijvend veranderen?

Wie in jouw leven zou best wel een geestelijke hergroepering, een soort kleine plastische chirurgie van zijn persoonlijkheid kunnen gebruiken? De houding van een werknemer bevalt je niet, je wilt dat je patiënt ophoudt met drinken, dat je man of vrouw zijn of haar uiterlijk beter verzorgt, dat je schoonmoeder het goede in je ziet, dat je vriend een ruzierelatie beëindigt of dat je kind beter voor zichzelf opkomt: dit boek laat je zien hoe je stap voor stap de gewenste veranderingen kunt bereiken. Gewapend met psychologisch inzicht in de geheimen van het menselijk gedrag leer je hoe je de ander ten goede kunt veranderen – en ook je eigen leven, voorgoed.

BERICHT AAN DE LEZER

De methoden in *Zo verander je iedereen, inclusief jezelf* zijn zo opgezet dat ze een mens veranderen in al zijn aspecten. Maar met veranderen bedoelen wij niet veranderen in een slaaf die onvoorwaardelijk doet wat jij zegt. De methoden werken alleen als je iemand ten goede verandert.

Als je de raad in dit boek opvolgt, zul je merken dat echte en blijvende veranderingen samengaan met een sterker gevoel van eigenwaarde. De methoden werken dus alleen als je iemand wilt veranderen in diens eigen belang. En als je iemand echt wilt helpen een beter mens te worden, zul je merken dat je hem ook sneller en gemakkelijker kunt veranderen dan je ooit voor mogelijk had gehouden.

ZO GEBRUIK JE DIT BOEK

Dit boek is zo opgezet dat je het meteen kunt toepassen. Het is niet nodig alle psychologie die erachter zit door te lezen en ook niet de hoofdstukken die niet over je eigen toestand gaan. Zoek om te beginnen in de inhoudsopgave naar het soort verandering dat je nastreeft en ga meteen door naar het betreffende hoofdstuk. Daar vind je methoden die aangeven wat je stap voor stap moet doen en hoe je het moet doen.

En als ik van dat wat ik wil veranderen geen voorbeeld kan vinden?
Bij de verschillende psychologische methoden wordt steeds een brede waaier aan voorbeelden gegeven. Maar als je de gezochte houding of het gezochte gedrag niet precies kunt vinden, dan is dat ook okay. Pas gewoon de methode toe die het dichtst in de buurt komt van dat wat je bij iemand bereiken wilt.

Moet ik alle technieken gebruiken die in een hoofdstuk staan?
Beslist niet. De psychologische strategieën zijn zo uitgestippeld dat je er enkele uit kunt nemen en toch succes zal hebben. Kies die technieken die voor jouw situatie het simpelst, snelst en gemakkelijkst zijn, al naar gelang de aard van de relatie, de tijd die je erin wilt steken en het soort verandering dat je nastreeft.

Sommige technieken vergen maar weinig, zijn niet indringend en zijn onder de meeste omstandigheden toe te passen. Voor andere is echter een zekere mate van overwicht en van medewerking van de andere partij nodig. En bij moeilijkere mensen en ernstige kwesties – geweld, zelfvernietigend gedrag, diepe emotionele problemen en dergelijke – is voor een verandering meestal een bredere strategie nodig die meer tijd, techniek en overwicht vereist. In zulke gevallen worden de vereiste technieken genoemd en wordt uitgelegd hoe die gebruikt moeten worden.

Kan ik technieken uit andere delen van het boek gebruiken?

Het boek is verdeeld in vier delen die elk een kant van de menselijke geest vertegenwoordigen. Om diepgaande veranderingen te bereiken moeten we wel steeds technieken uit verschillende delen gebruiken. Trouwens, ook voor iets wat eenvoudig lijkt, zoals dat een vrouw haar man wat romantischer hoopt te maken, kunnen technieken nodig zijn die om meer dan alleen maar gedragsverandering gaan. De man zou bijvoorbeeld bepaalde waarden of levensovertuigingen kunnen koesteren die hem ervan weerhouden zich helemaal te uiten.

En ook een schijnbaar alledaagse verandering, zoals dat je zus wat meer zorg aan haar uiterlijk zou kunnen besteden, kan niet bereikt worden met alleen maar wat tips over afslanken, door een nieuw jurkje voor haar te kopen of ultimatums te stellen. Je moet nagaan of ze waarden koestert die in de weg zitten. Misschien denkt ze wel: 'Als mannen mij aantrekkelijk vinden, nemen ze mij niet serieus'. Of misschien heeft zij een overtuiging die berust op angst voor intimiteit of vindt ze dat mensen haar precies zo moeten aanvaarden als ze is of zit ze vast in een bepaald denkpatroon dat nog uit haar kindertijd stamt. En geloof maar dat een briefje met dieetvoorschriften op de koelkast je dan niet veel verder zal helpen.

Pas op: omdat deze technieken op de aard van de mens gebaseerd zijn, zijn zaken als cultuur, ras of geslacht niet van toepassing of niet van belang.

DEEL I

Zo kan je ieders overtuigingen en waarden veranderen

Leer met psychologische methoden ongezonde ideeën over wie of wat dan ook te verjagen en iedereen zijn menselijke waarden weer terug te geven.

De mens is wat hij denkt te zijn
– Anton Tsjechov

I

KAN JE IEMAND VERANDEREN
DIE DAT NIET WIL?

Wie wil er nu een onbenul zijn? Wie wil er nu slechte relaties hebben, een slons zijn, om niets of niemand geven dan zichzelf of zinloze doeleinden nastreven?

Ieder mens zou dingen beter willen doen. Niemand wil in zelfvernietigend gedrag blijven steken. Niemand wil gemeen zijn, anderen zinloos haten, bekrompen opvattingen koesteren, aanstoot geven en dergelijke. Geen van deze gedragingen geeft ons een goed gevoel. Wij willen ze wel veranderen maar dat lukt niet. Onze emotie staat in de weg om iets te doen waarvan wij op een ander vlak weten dat het voor ons en onze menselijke betrekkingen goed zou zij.

De meeste mensen willen zelfs wanhopig graag veranderen. Dat weten wij trouwens maar al te goed uit ons eigen leven. Als het ons lukt boven de 'last der gewoonte' uit te stijgen, hebben wij een goed gevoel. Zeker, er zijn mensen die beweren dat ze gelukkig zijn zoals ze nu eenmaal zijn en dat ze niet willen veranderen. Maar die mensen zijn niet zo erg oprecht. Mensen kunnen zichzelf ontzettend goed voorliegen; dan liegen zij trouwens ook met de meeste overtuiging.

Dus: kan je iemand veranderen die niet veranderen wil? Die vraag is overbodig omdat zo iemand niet echt bestaat. We willen allemaal dingen beter doen, voldoening ondervinden; wanhopig proberen we onze mogelijkheden te benutten en meer te worden. Zo zitten we in elkaar.

Met de psychologische methoden die in de volgende hoofdstukken worden uiteengezet, kan je door iemands emotionele versperringen heen een weg vinden om op bijna elk gebied blijvende verandering teweeg te brengen. Zo kan je van bijna iedereen een beter mens maken.

OVERTUIGINGEN EN WAARDEN: EEN KORTE INLEIDING

Overtuigingen en waarden worden heel vaak ingezet om ons verleden te rechtvaardigen, ons gedrag te verklaren en gebeurtenissen en levensomstandigheden een zin te geven.

Een waarde kan een doel zijn maar ook een middel. Om een waardevol doel te bereiken – geluk, bijvoorbeeld – gaat iemand ook aan het middel waarmee hij dat doel kan bereiken een hoge waarde toekennen.

Voor sommige mensen is de poort naar het geluk misschien geld, voor andere is het huwelijk en gezin. Geld wordt dus alleen belangrijk omdat geluk belangrijk is en een gezin wordt belangrijk omdat geluk belangrijk is.

Als nu het basisidee – dat middel zal mij tot mijn doel brengen – verandert, dan wordt dat middel overbodig en valt het weg. Als je dus iemands gevoelens over een bepaald middel wilt veranderen, verander dan zijn idee dat het naar een waardevol doel leidt. Als iemand bijvoorbeeld dacht dat geld gelukkig maakt, maar dan merkt dat dat niet klopt, dan zal hij zijn prioriteiten en dus zijn gedrag veranderen.

Met psychologische middelen wordt het verkeerde idee afgebroken en dan verliest het zijn greep op het gevoelsleven. Bijvoorbeeld: uit statistieken blijkt dat een vrouw die zich overgeeft aan vluchtige seks of prostitutie of allebei, in negentig procent van de gevallen als meisje of jongvolwassene misbruikt is. Om dat wat haar overkomen is te verwerken, is ze onbewust gedwongen het als minder belangrijk voor te stellen. Dat doet ze door de waarde en de heiligheid van seksuele relaties af te zwakken. Haar lukrake seks maakt dat wat haar overkomen is minder belangrijk. Dat wat gekwetst is, waarvan ze beroofd is, wordt dan minder waardevol. Anders zou ze iets nog veel pijnlijkers moeten verwerken. Ze kiest dus net als zovelen van ons de weg van de minste weerstand. Door de seksdaad te ontwaarden, zelfs onbetekenend te maken, versterkt ze bij zichzelf het idee dat het gebeurde er toch niet toe deed.

Die onbewuste berekening van iemands geest dat je maar beter iets anders dan de waarheid kunt gaan geloven, waardoor die persoon dan ook als vanzelf een andere levensweg inslaat, kun je door een reeks psychologische technieken verbreken. Als de noodzaak om zich aan een bepaald idee vast te klampen wordt weggenomen, zal tevens het bijbehorende gedrag, hoe diep ook ingesleten, verdwijnen.

3

ZO MAAK JE VAN IEDEREEN
EEN MOREEL BETER MENS

Ken je iemand in je omgeving wiens morele kompas dolgedraaid is? Als je zijn dierlijke opvattingen beu bent, doe er dan wat aan. Of je dochter nu van het ene bed in het andere duikt, een medewerker kantoorspullen pikt of je huwelijkspartner vals speelt op het wekelijkse kaartavondje: breng ze met de volgende psychologische technieken tot andere gedachten.

TECHNIEK 1: DE LAKMOESTEST

Een bepaalde visie koesteren is gemakkelijk… zolang er niets op het spel staat. Neem bijvoorbeeld de zakenman die geen allochtoon in dienst wil nemen. Maar als je die werkgever zou mededelen dat die allochtoon zo goed is dat hij wel een miljoen aan omzet meebrengt, dan staat hij voor een tegenstelling en moet hij een keus maken. Uit onderzoek blijkt dat hij dan meestal de allochtoon in dienst neemt. Daarna zal hij toch zijn visie op allochtonen moeten bijstellen, anders zou hij van zichzelf moeten denken dat hij alleen maar een duivelse geldwolf is die voor geld zijn ziel heeft verkocht. Dan is het voor zijn ego nog gemakkelijker om maar te vinden dat 'zij' eigenlijk toch zo slecht niet zijn. Wat hij ook kiest, jij kunt zijn idee beginnen af te breken.

Ideeën koesteren is gemakkelijk zolang er geen belangentegenstellingen zijn, zoals bij deze zakenman. Maar als jij dan die tegenstelling neerzet – tussen iets wat hij denkt en iets wat hij wil – dan steek je een spaak in het wiel van zijn denken en dan moet een van de twee wijken. Laten we eens kijken hoe dat werkt.

Voorbeeld: Thijs denkt dat hij best zonder te betalen
een restaurant uit kan lopen.

Wat vindt Thijs dan? Heeft het restaurant niet de service gegeven die hij verdient? Doen andere mensen het ook? Is de eigenaar een gemene kerel? Zullen ze die paar centen van hem niet missen? Natuurlijk is dat allemaal zelfrechtvaardiging. Als Thijs nadenkt weet hij best dat het slecht is om een rekening niet te betalen – maar erover nadenken wil hij nu juist niet.

Nu brengt Thijs' vrouw een argument in dat een tegenstelling opwerpt tussen Thijs' ideeën en iets wat hij heel belangrijk vindt. En dan zal een van de twee moeten wijken. Zij zegt: 'Weet je, Thijs, onze Jimmy wordt nu oud genoeg om te begrijpen wat je doet. En hij denkt dat als jij zoiets doet, het voor hem ook okay is.' Nu zijn de bordjes verhangen. Het gaat er niet langer om een maaltijd te stelen zonder een slecht geweten. De vergelijking wordt: maaltijd stelen = zoon bederven. Die tegenstrijdigheid helpt mee om Thijs' gedrag binnen de kortste keren te veranderen en mede door andere technieken zal hij op termijn ook zijn ideeën gaan herzien.

Schaam je

Er is ook wel iets voor te zeggen om het ego maar meteen frontaal aan te vallen. Wanneer een vrouw verteld wordt dat andere mensen precies weten wat zij doet, dat ze dat beneden haar waardigheid en misselijk vinden, dan zal zij haar gedrag misschien wel aanpassen. Je zegt dan bijvoorbeeld: 'Weet je, er zijn een hoop mensen die weten dat je bedriegt/steelt/liegt en ze weten dat ook al een tijd. Iedereen vindt je fantastisch maar die dingen staan de mensen tegen.' Dit zal haar gedrag misschien nog niet blijvend veranderen maar ze zal zich tenminste alvast beginnen te schamen.

Techniek 2: Instemming via de achterdeur

Uit onderzoek blijkt dat als we een mening verwoorden, of we die nu voor waar houden of niet, we haar na enige tijd meestal gaan aanhangen. Zo werden in een onderzoek studenten willekeurig verdeeld om twee tegengestelde standpunten te verdedigen. Na een schijndebat bleek toch dat verreweg de meeste studenten het standpunt dat ze moesten verdedigen hadden overgenomen – of daar in ieder geval mee sympathiseerden – ook als ze in het begin niet hadden geloofd dat het juist was.

Voorbeeld: Ouders van een seksueel ongebonden tienermeisje willen aan dat gedrag een eind maken.

De ouders zouden het meisje door een jonger zusje of ander vrouwelijk familielid of een jonge buurvrouw moeten laten vertellen dat het belangrijk is met seks te wachten tot het huwelijk of totdat men zich met één persoon verbonden heeft (een jonger iemand is beter omdat het de dochter in een positie van gezag en overwicht plaatst). De ouders kunnen hun dochter ook met 'sprekende argumenten' bewapenen door haar statistieken te laten zien dat tieners die van het ene in het andere bed springen vaker in zelfdoding of drugs- of alcoholverslaving vervallen. In het ideale geval zouden dat regelmatige gesprekken zijn en mettertijd zal de boodschap dan beginnen aan te slaan.

Als eerste aanmoediging om met die andere mensen te gaan praten is het, als je dat wilt, ook prima om haar een vorm van beloning te geven – geld, een cadeautje, een voorrecht. Maar vraag haar dan na een paar keer wel om het verder zonder tegenprestatie te doen. Als zij het daarmee eens is, weet je meteen dat ze een psychologische hoek omgeslagen is en jouw standpunt begint over te nemen.

(Pas op: als je denkt dat ze slachtoffer van seksueel misbruik is of geweest is, dan moet onmiddellijk professionele hulp worden gezocht).

TECHNIEK 3: CONSISTENTIE IN DE BEELDVORMING

Als iemand zich vleiend over ons uitlaat, zullen wij er vaak naar streven het geschetste beeld hoog te houden. Als anderen goed van ons denken, helpt dat ons om ook beter over onszelf te denken en zo komen wij er vaak onbewust toe aan hun kant te staan.

Interessant is dat wij daarvoor des te meer ons best doen naarmate de relatie vluchtiger is, omdat wij dat dan niet al te lang hoeven vol te houden. Ken jij ook iemand die voor zijn eigen familie geen hand uitsteekt maar zich in alle bochten wringt om iemand te helpen die hij nauwelijks kent? Heeft een vriend van een vriend of een ver familielid nooit tegen je gezegd dat je zo aardig bent, een prima kok, erg handig en dat soort dingen? En merkte je dan dat je de raarste sprongen zou willen maken om dat beeld bij die persoon levend te houden? Laten we eens kijken hoe dat gaat.

*Voorbeeld: Je vriendin Joan ziet er geen been in om
dingen van je te lenen en dan te vergeten
ze terug te geven.*

Zeg in zo'n situatie bijvoorbeeld: 'Jij bent echt een vriendin die respect voor andermans spullen heeft. Zoals toen je mijn auto te leen vroeg hoewel de sleutels erin zaten en je er zo mee had kunnen wegrijden. Dat zijn nou van die dingen die ik echt in je waardeer.' Zo'n opmerking zou voor Joan genoeg moeten zijn om het in het vervolg eerst te vragen voor ze weer wat van je leent. En wat ze nog van je heeft zal ze nu waarschijnlijk meteen teruggeven. Maar ook als ze dat laatste niet doet: na een uurtje ofzo van deze techniek, kun je haar gewoon om je spullen vragen en haar bereidwilligheid die terug te geven zal tien keer zo groot zijn geworden.

In de drie eenvoudige zinnetjes die je tegen Joan gezegd hebt, heb je jouw begrip van vriendschap zo omschreven dat daar eerlijke en oprechte mensen onder vallen. Dat maakt dat Joan haar best wil doen om het beeld dat je van haar schetst waar te maken en ze zal zich, vooral onbewust, aangespoord voelen om jouw verwachtingen waar te maken. Jij ziet haar in een bepaald licht en dat positieve beeld zal ze willen vasthouden.

De proef van Asch

Bij deze klassieke proef werd de deelnemers gevraagd welke lijn in figuur B het meest overeenkomt met de lijn in figuur A. Afzonderlijk gevraagd koos bijna iedereen voor de middelste lijn. Maar als men eerst naar een paar andere mensen luisterde, die deel uitmaakten van de proef en allemaal een verkeerde lijn aangaven, bleek zesenzeventig procent van de deelnemers het verkeerde antwoord over te nemen en het eigen oordeel niet meer te vertrouwen (Asch, 1956). Behalve de aanwezigheid van deze anderen was er geen druk om zich aan te passen. Uit later onderzoek blijkt dat aanpassing en druk van de groep het sterkst werken bij iemand die geen enkele medestander heeft: niemand die aan zijn kant staat en het met hem eens is. Als u dus de psychologische technieken in dit boek op iemand gaat toepassen, zorg ervoor dat er niet iemand aan zijn kant staat wiens eigen moraal bedenkelijk is.

De grote denker Friedrich Nietzsche filosofeerde eens: 'Krankzinnigheid is bij enkelingen zeldzaam maar in groepen, partijen, volken en tijdperken de regel.' Kindermoord was een algemeen aanvaarde gewoonte bij de Romeinen en op sommige plaatsen in de wereld trouwens zelfs nu nog. De meeste mensen vinden zoiets afgrijselijk maar het wordt toch aanvaardbaar omdat iedereen het doet. En dat geldt zowel voor positief als voor negatief gedrag.

Uit tal van onderzoek is gebleken dat zelfs ons karakter sterk door onze omgeving wordt beïnvloed. Bij de gemeente weet men dat graffiti altijd heel gauw moeten worden weggepoetst omdat er anders graffiti bijgespoten worden door mensen die tot dan toe hadden gedacht dat zulke dingen niet horen. Een ander voorbeeld is de 'massamentaliteit': het verschijnsel dat mensen in groepsverband extremere ideeën koesteren dan elk van hen afzonderlijk. Als iedereen 'op dezelfde golflengte' zit, ontstaat een sfeer van verwachtingen die heel sterk inwerkt op ons zelfbeeld. Om het morele besef van mensen te verhogen moeten zij dus in een omgeving worden gebracht waar goed gedrag regel en geen uitzondering is.

Ons zelfbeeld is heel sterk verbonden met de plek waar we wonen, de mensen die wij kennen en de plaatsen waar we komen. Door mensen uit hun vertrouwde omgeving te halen, rammel je hun zelfbeeld door elkaar en krijgen ze gemakkelijker een andere en vaak objectievere kijk op zichzelf. Je haalt hen dan ook weg van invloeden en aanzetten die hen opeens weer een negatief leefpatroon in trekken.

Voorbeeld: Een meisje denkt dat het in de haak is om allochtone kinderen af te bekken.

Een meisje dat allochtone kinderen uitkaffert zou uit haar omgeving moeten worden gehaald en bij mensen geplaatst die een hoger gevoel voor moraal hebben. Hoe lang ze daar moet blijven hangt af van hoeveel overwicht men op haar heeft en hoe diep haar vooroordeel ingesleten is. Een enkel weekeind kan al verschil maken, maar in het algemeen zal de invloed van een verlichte omgeving natuurlijk sterker zijn naarmate ze er langer in verkeert.

Als een meisje denkt dat het in de haak is mensen te kwetsen omdat zij van een andere cultuur zijn, komt dat doordat ze aan verkeerde invloeden blootstaat. Verander die invloeden en je verandert het meisje.

TECHNIEK 5: DE LAT HOGER LEGGEN

De lat hoger leggen is een fantastische techniek en gemakkelijk ook. In plaats van iemand een bepaald gedrag te verwijten, overstelp je hem of haar een minuut of vijf met lof en complimenten. Na die emotionele oppepper zeg je hem gewoon dat het gedrag dat je veranderd wilt hebben onaanvaardbaar is. Op die manier zet je het wangedrag in de fout, niet de persoon.

Voorbeeld: Een leraar betrapt een leerlinge
op afkijken.

De leraar roept de leerlinge bij zich en zegt: 'Julia, jij bent een van de beste leerlingen die ik ooit heb gehad. Soms blijkt dat uit de toetsen, soms ook wel eens niet maar ik weet wat je allemaal kan. Ik zie ook hoe je met je klasgenoten meeleeft en dat je ze altijd wilt helpen. Je hebt geweldige mogelijkheden en ik geloof dat je later alles kunt doen en worden wat je maar wilt. Je bent het type dat alles bereiken kan waar je je voor inzet en ik hoop dat je me later nog eens komt bedanken voor wat ik je geleerd heb. Blijf hard werken en maak je dromen waar. Als iemand dat kan, dan ben jij het wel.' En dan alsof het hem net te binnen schiet brengt de leraar het gedrag ter sprake: 'O, ik weet dat de meeste leerlingen bij een toets wel eens afkijken maar voor jou is dat beneden peil. Tot morgen.' Deze eenvoudige maar krachtige techniek maakt het voor Julia zowat onmogelijk om bij een toets nog eens af te kijken.

Samenvatting van de strategie

Wanneer er niets op het spel staat kan een mens gemakkelijk aan een verdorven idee vasthouden. Verander dus de situatie zo dat hij door eraan vast te houden meer te verliezen heeft.

Onderzoek heeft aangetoond dat als mensen openlijk een mening uitspreken – of zij er nu echt in geloven of niet – ze die meestal ook gaan steunen.

Geef mensen een nieuwe kijk op zichzelf door hun te zeggen dat je hen moreel zo goed vindt en hen juist daarom zo hoogacht.

Als iedereen 'op dezelfde golflengte' zit, ontstaat er een sfeer van verwachting die heel krachtig inwerkt op ons zelfbeeld.

In plaats van iemand wangedrag te verwijten, overstelp je hem met lof en noemt dan nog even terloops dat wangedrag als iets wat misschien bij anderen hoort maar niet bij zo'n fantastisch mens als hij.

Zie voor aanvullende strategieën:

Hoofdstuk 5: Zo help je iedereen van zijn vooroordelen af

Hoofdstuk 9: De gave van zelfwaardering

4

ZO ROEP JE BIJ IEDEREEN LOYALITEIT OP

Hoe komt het dat de een je nog in je moeilijkste momenten nabijstaat terwijl een ander er al bij het minste probleem als een haas vandoor gaat? Die mooiweervrienden, die jou een dolkstoot in de rug geven als je je maar even omdraait, ben je die niet zat? Want: of het om een vriend gaat, een werknemer of een huwelijkspartner, je kunt ervoor zorgen dat iedereen betrokken raakt bij jezelf, bij je firma of bij de zaak waarvoor je staat. De volgende technieken geven je de onderdelen, de middelen waarmee je iemand, iedereen, tot een onwankelbare gevolgsman kan maken.

TECHNIEK I: BRENG HEM BIJ JE BINNEN

Iemands trouw hangt af van de kant waaraan hij denkt te staan. Als je hem dus aan jouw kant brengt en tot een deel van jouw team maakt, zal hij ook aan jouw kant slag leveren tegen 'de anderen'. Om van een buitenstaander een vertrouweling te maken, moet je hem voorzien van informatie die maar weinig mensen hebben, plus een bepaalde hoeveelheid macht of gezag in je organisatie of team.

Voorbeeld: Een verkoopmanager heeft een verkoper
wiens loyaliteit twijfelachtig is.

In een ontspannen privé-gesprek zou de verkoopmanager bijvoorbeeld moeten zeggen: 'Chris, ik wil je zeggen dat er hier wat gaat veranderen. Het komt erop neer dat we XYZ bijna als klant binnen hebben en we denken dat jij in het team de juiste man bent om uit te vinden hoe we hen het beste kunnen vertegenwoordigen. Dit is nog niet officieel dus ik moet wel op je discretie kunnen rekenen.'

Het is verbazingwekkend hoe snel je met deze techniek aanhankelijkheid kan kweken. En nu Chris een hoge piet is geworden die aan jouw kant staat en een beetje macht heeft, zal hij zijn manager niet meer zo gauw afvallen.

TECHNIEK 2: EEN STUKJE GROOTHEID

De stemming van voetbalsupporters hangt sterk af van de resultaten van hun club. Als die wint voelen ze zich geweldig en als hij verliest voelen ze zich ellendig. Boeiend is ook hoe mensen zich met hun team vereenzelvigen. Als het wint zeggen ze: 'Ons team heeft gewonnen,' maar als het verliest is het vaak: 'Zij hebben verloren'. Als het niet meer zo goed gaat, geven zij hun identificatie op.

Wij willen allemaal deel uitmaken van iets groots, aan de kant van een groots iemand staan en bij de winnaar horen. Laat, om trouw op te roepen, anderen de grootsheid in je zien of dat waar je hen in wilt doen geloven. Dit kun je bereiken door iemand te zijn die doet wat juist is, zelfs als een gemakkelijkere manier van doen voor de hand ligt.

Voorbeeld: Je wilt dat je vrienden en medewerkers
loyaler aan jou zijn.

Stel, je speelt met vrienden een spelletje Triviant en er ontstaat een twistgesprek of het antwoord van een van de spelers wel juist was. Als je denkt dat het inderdaad juist was, geef die speler dan jouw steun. Met andere woorden: neem een standpunt in dat voor jezelf nadelig is.

Lang nadat het spel vergeten is, zul jij nog bekend staan als degene die de eerlijke weg nam ook al was dat niet zozeer in je eigen belang. Mensen zullen je opzoeken en deel willen zijn van wat je doet. Niemand kan zozeer onwankelbare aanhankelijkheid oproepen als een beginselvast mens.

Techniek 3: Beetje bij beetje

We koesteren allemaal een sterk verlangen om onze overtuigingen trouw te blijven en onszelf als consequent te zien. Als we in woord en daad te veel schipperen, verliezen we aan zekerheid en zelfvertrouwen. Dit psychologische gegeven kan trefzeker worden toegepast om mensen tot loyaliteit te brengen – zoals uit onderzoek is gebleken. Als mensen bijvoorbeeld eerst een klein verzoek gedaan wordt en zij daar aan voldoen, zullen ze daarna ook voldoen aan een groter verzoek dat in dezelfde lijn ligt. Als mensen een stapje in een bepaalde richting hebben gedaan, willen ze consequent blijven en ook een grotere stap doen. Wie aan een klein verzoek voldoet neemt als vanzelf in zijn zelfbeeld ook het idee op dat hij achter de betreffende zaak staat. Aan het grotere verzoek voldoen is dan alleen nog maar iets doen voor een zaak waar hij toch al sterk in 'gelooft'.

Onderzoek naar de praktijk

Freedman en Frazer (1966) vroegen villabewoners of zij een heel groot bord met 'Langzaam rijden' bij hun oprit mochten plaatsen. Slechts zeventien procent gaf daarvoor toestemming. Ondertussen waren andere villabewoners benaderd met een kleiner verzoek, namelijk om een sticker met 'Rij veilig' aan te brengen. Bijna iedereen zei meteen ja. Diezelfde ja-zeggers werd een paar weken later gevraagd of ze ook dat heel grote bord in hun voortuin wilden zetten en een overweldigend aantal (zesenzeventig procent) stemde daarin toe. Dit wordt de 'voet-tussen-de-deur-techniek' genoemd: als mensen eerst op een klein verzoek ja gezegd hebben, zijn ze later geneigd ook aan een groter verzoek te voldoen.

Voorbeeld: Je wilt dat je klanten jou en je firma meer
trouw blijven.

Als je bij je klanten loyaliteit wilt oproepen, nodig ze dan uit op de picknick van de firma, laat ze met je medewerkers kennismaken en met hen praten en vraag om referenties, aanbevelingen en voorstellen hoe je de zakenrelatie zou kunnen verbeteren. Zulke kleine stappen zetten een proces in gang en brengen iedereen tot loyaliteit. De klanten móéten dan wel om je firma gaan geven, ze hebben immers zichzelf daarin geïnvesteerd. Als ze naar een ander liepen, zouden ze eerst aan zichzelf moeten uitleggen waarom ze al zo veel tijd en energie gestoken hebben in hun relatie met jou. Dat dwingt hen weer om voor hun trouw aan jou redenen te vinden, zelfs als ze ergens anders misschien betere voorwaarden kunnen krijgen.

Als mensen – gevoelsmatig, financieel of anderszins – niets in een zaak gestoken hebben – zullen zij die eerder in de steek laten. Dus, betrek de klanten erbij als de zaken goed gaan – beetje bij beetje en natuurlijk als deel van een team – en je zult merken dat zij dan ook in moeilijker tijden bij je zullen blijven.

TECHNIEK 4: DE KRACHT VAN NEDERIGHEID

Het percentage Amerikanen dat achter hun president John F. Kennedy stond is nooit zo hoog geweest als in 1961 na het mislukken van de landing in de Cubaanse Varkensbaai, wat ongetwijfeld kwam doordat hij toen menselijk, feilbaar en vernederd bleek. Hij had een fout gemaakt en nam er de volle verantwoordelijkheid voor.

Als je te veel van jezelf vervuld bent, blijft er geen ruimte voor iemand anders over. Geen mens wil luisteren naar iemand die egocentrisch is of zo iemand volgen. Mensen zullen je misschien aandacht geven als het moet of als het hun uitkomt maar als er moeilijkheden komen, zullen ze ervandoor gaan. Ze kunnen niet dichtbij iemand staan die helemaal van zichzelf vervuld is omdat daar geen plaats voor iemand anders is.

Zes sterke manieren om nederigheid te tonen

1. Door iets aan te pakken wat anderen misschien beneden hun waardigheid vinden, ben je voor het oog van de wereld een man van het volk, bereid om, met een persoonlijk offer, iets te doen voor de zaak als geheel. De topmanager die van de vloer van de fabriek rommel opraapt inspireert arbeiders om hetzelfde – en meer – te doen.

2. De snelste manier om iemands loyaliteit kwijt te raken is tegen hem of haar te liegen. Bedrog is gelijk aan arrogantie en het tegendeel van nederigheid. Zelfs als iets voor de ander geen prettig nieuws is, spreekt jouw oprechtheid boekdelen en brengt die de belangrijke boodschap over dat je te vertrouwen bent. Bovendien zullen mensen eerder hun kans wagen met iemand die betrouwbaar is dan met iemand die hun vertelt wat zij graag willen horen of die iets probeert te verbergen. Wees in je doen en laten altijd eerlijk en oprecht. Wat niet hetzelfde is als bot en grof. Probeer juist zo vriendelijk en respecterend mogelijk te zijn, maar zonder ooit de waarheid op te offeren. Eerlijkheid straalt goed karakter uit en is als een baken in een mist van valsheid.

3. Wees geen weetal en als je iets verkeerd doet, geef dat dan toe. Als je een fout kunt toegeven, beseffen anderen dat zij geen troep lemmingen zijn die jou tot in een afgrond achterna lopen. Verantwoordelijkheid nemen voor fouten toont zowel verantwoordelijkheid als nederigheid, twee sleutels tot trouw.

4. Als je een antwoord niet weet, geef er dan ook geen. Zeg gewoon: 'Dat weet ik niet'. Je zult verbaasd zijn hoe veel aandacht je dan krijgt als je wel een goed antwoord weet.

5. Behandel iedereen met respect, vooral mensen van wie je niets nodig hebt en die niets voor je kunnen doen. Als je iemand met groot respect moet behandelen, blijkt daaruit zijn grootheid. Als je hetzelfde doet wanneer het niet hoeft, blijkt daaruit je eigen grootheid.

6. Deel de eer. Steeds als er voor jouw werk erkentelijkheid is, zorg je ervoor om alles en iedereen te noemen die, al is het weinig, tot jouw succes heeft bijgedragen.

Als je deze paar dingen doet, ben je een voorbeeld van wat nederigheid betekent. Je zult niet gezien worden als zwak maar juist als iemand die sterk is en die kracht zal anderen ertoe bewegen zich aan je te hechten.

Samenvatting van de strategie

Breng mensen naar binnen en geef ze een beetje macht. Dan kunnen zij zich moeilijker tegen je keren, aangezien jij hun het gevoel geeft dat ze bijzonder en belangrijk zijn.

Allemaal hechten wij ons graag aan mensen met karakter. Als je een ongunstige positie inneemt gewoon omdat dat juist is, zal men je lang nadat de situatie zelf vergeten is nog herinneren als een hoogstaand mens.

Mensen hebben een sterke noodzaak om consequent te handelen. Door ze langzaam bij je zaken te betrekken, schep je een psychologische betrokkenheid: zij blijven iets steunen dat zij in mindere mate al steunden.

Als je te zeer van jezelf vervuld bent, is er bij jou geen plaats voor een ander. Je kan je nederigheid op simpele manieren tonen zoals door oprecht te zijn, te erkennen wanneer je fout was, niet te spreken als je het antwoord niet weet, iedereen te behandelen met passend respect en de eer voor wat je gedaan hebt te delen.

Zie voor aanvullende strategieën:
Hoofdstuk 3: Zo maak je van iedereen een moreel beter mens
Hoofdstuk 9: De gave van zelfwaardering
Hoofdstuk 23: Zo leer je iedereen meer achting

5

ZO HELP JE IEDEREEN VAN ZIJN VOOROORDELEN AF

Ken je mensen die zonder meer godsdienstdwepers of racisten zijn? Met de technieken van dit hoofdstuk kun je hun geest openen en hen ertoe brengen hun verkeerde en schadelijke overtuigingen te herzien. Het is natuurlijk naïef om te denken dat dat van de ene dag op de andere gaat. Maar onderzoek heeft aangetoond dat deze methode de beste is en je zult er beslist kleine of grote verbeteringen mee behalen.

Techniek 1: De macht van emoties

Emotie zet dingen in beweging. Emoties, niet statistieken, gegevens of koude, harde feiten vormen de energie die ons denken en onze keuzes in het leven voedt. Naar schatting komt wel negentig procent van onze besluiten voort uit emoties en gebruiken we onze logica alleen om ze achteraf te rechtvaardigen.

Elke keer dat kettingrokers een sigaret uit het pakje nemen, lezen zij dat sigarettenrook kanker veroorzaakt. Wat zouden ze dan denken? 'Ik kan ook morgen door een bus worden doodgereden' of 'Mijn tante Pietje is honderd geworden en die heeft vanaf haar negende elke dag gerookt.'

Ga tot iemands diepste emoties en je bent bij de echte beleidsmaker. En om emoties op te roepen werkt niets zo goed als schokkende beelden of iets zelf van nabij meemaken. Als we in ons ochtendkrantje alleen maar het bericht lezen dat er bij een aardbeving in Chili tweeduizend mensen zijn omgekomen, mompelen we misschien nog 'wat erg' en gaan dan meteen door naar de roddelpagina. Maar één enkele foto van een meisje dat tussen het puin zit te huilen naast haar moeder die omgekomen is, doet heel wat meer. Het raakt ons hart, het doet zeer.

Men zegt dat wie ooit een worstfabriek heeft bezocht, nooit meer een worstje wil eten. Het fabricageproces is blijkbaar zo afstotelijk om te zien dat men dat niet meer uit zijn hoofd kan krijgen. En ook al weten we wel dat er van de controlediensten wat haren, bloed en botjes in een worst mogen zitten, om dat zelf te zien is nog heel wat anders.

> *Voorbeeld: Je vriendin Erica denkt dat alle immigranten op de economie teren en onmogelijk geslaagde medeburgers kunnen worden.*

Je zou Erica kunnen voorstellen aan een wel succesvolle immigrant. Naarmate Erica hem leert kennen als persoon en niet als iemand uit een groep waar zij een hekel aan heeft, zal zij haar opvatting heroverwegen en uiteindelijk bijstellen. Natuurlijk zal dat niet bij de eerste ontmoeting gebeuren, maar die zal zo'n proces wel op gang brengen.

TECHNIEK 2: EEN VERSLAG UIT DE EERSTE HAND

Techniek 2 maakt gebruik van twee machtige psychologische processen: het sociale bewijs en het tegenstrijdig inzicht. Een sociaal bewijs is dat als anderen, vooral mensen voor wie we eerbied en bewondering voelen, iets doen, we de neiging hebben dat na te doen. Daarom worden er in advertenties beroemdheden gebruikt. De kijker denkt dan: als die persoon, die ik zo bewonder, dat product gebruikt, dan zou ik dat ook moeten doen.

Tegenstrijdig inzicht kan optreden in een geval als het volgende. Bill koopt voor vijfhonderd euro een horloge. Wat later bladert hij een tijdschrift door en ziet een advertentie voor wat hetzelfde horloge lijkt, maar dan voor driehonderd euro. Bill wordt nu innerlijk onrustig. Hij ziet zichzelf namelijk graag als een slimme kerel die weet wat dingen waard zijn maar die advertentie lijkt hem nu het tegendeel te vertellen. Nu kan Bill van twee dingen één geloven: hij is beetgenomen en heeft voor dat horloge teveel betaald of die advertentie klopt niet. Wat hij kiest hangt af van zijn mate van zelfwaardering. Als hij een hoge zelfwaardering heeft, zal hij denken dat hij een fout heeft gemaakt en als hij een lage zelfwaardering heeft zal hij denken dat hij beetgenomen is. Maar hoe dan ook zal er iets moeten verschuiven om de balans van Bills leven weer in evenwicht te brengen en het tegenstrijdig inzicht – de oorzaak van de emotionele pijn – te verminderen.

Bij techniek 2 worden sociaal bewijs en tegenstrijdig inzicht met elkaar verweven, zoals uit het volgende blijkt.

Voorbeeld: Je zoon denkt dat mensen van een bepaald ras of bepaalde godsdienst slecht zijn.

Laat iemand voor wie je zoon respect heeft hem uitleggen waarom deze levenshouding verkeerd is. Niet alleen heeft dit voor hem de kracht van een sociaal bewijs maar het roept ook tweestrijdig inzicht op omdat hij zijn genegenheid voor deze persoon moet verzoenen met zijn vooroordelen. Kan iemand die hij zozeer respecteert het op dat punt zo verkeerd hebben? Dan moet er bij hem wel iets gaan schuiven.

En zoals wij bij 'Bill' hebben gezien: hoe meer eigenwaarde iemand heeft, des te waarschijnlijker is het dat hij zijn vooroordelen zal loslaten. Eenvoudig gezegd: wie een goed gevoel over zichzelf heeft, kan ongelijk toegeven.

Zelfwaardering is niet los te maken van stemming. Zolang wij in een goede stemming verkeren, hebben wij ook een goed gevoel over onszelf en ons leven. Voordat je dus techniek 2 gaat toepassen, breng je je zoon in een betere stemming, dan zal hij de emotionele kracht hebben om zijn schadelijke overtuiging te laten varen. Een snelle manier om dat te bereiken is hem ergens enthousiast voor te maken. Doe hem bijvoorbeeld het voorstel om samen naar een sportwedstrijd of de bioscoop of uit eten te gaan. Of beloof hem dat hij bij vrienden mag blijven overnachten of naar een kamp mag waar hij het over gehad heeft.

Techniek 3: Vriendelijke daden

Als iemand in het bijzonder het mikpunt van iemand anders minachting is, laat hem dan zo mogelijk iets aardigs voor die persoon doen. Voor die persoon zal het dan, ondanks zijn vooroordelen, moeilijk worden een hekel te blijven hebben aan iemand die aardig voor hem is. Door deze tweestrijd zal hij zijn gedachten moeten aanpassen en ruimte maken voor de mogelijkheid dat hij de ander verkeerd beoordeeld heeft.

> *Voorbeeld: Mijnheer Jones vindt Peters leeftrant als*
> *vrijgezel en fuifnummer verwerpelijk.*

Peter hoeft niets moois of bijzonders te doen, alleen maar een gebaar te maken, door bijvoorbeeld eens de sneeuw van de oprit van mijnheer Jones weg te schuiven zodat die er met zijn auto uit kan of een paar stappen extra doen om iets voor hem op te rapen. Belangrijk is wel dat Peter daarna niet op een schouderklopje blijft staan wachten. De goede daad niet 'opeisen' toont zijn karakter: hij heeft iets gedaan omdat het goed was, niet om aardig gevonden te worden. Dat is een extra knauw voor het vooroordeel van de andere.

Waarom, waarom?

Blijf vragen waarom. Als iemand een bepaalde overtuiging koestert, vraag waarom. En als hij die vraag beantwoordt, vraag dan opnieuw waarom. Een jong meisje bespot bijvoorbeeld mensen die anders zijn. Je vraagt haar waarom en zij zegt: 'Dat doet iedereen'. Dan vraag je haar opnieuw waarom en ze zegt dat het haar getapt maakt. En weer vraag je waarom. Door bij herhaling naar het waarom te vragen, raak je tot de kern van waarom ze doet wat ze doet en zo gaat ze daar ook zelf over nadenken. Ze wordt genoodzaakt haar eigen onaardige gedrag onder ogen te zien.

TECHNIEK 4: HOUSTON, WE HEBBEN CONTACT

Baanbrekend onderzoek door Gordon Allport (1954) over het wezen van rassenvooroordelen heeft uitgewezen dat die afnemen waar groepen van gelijk aanzien samen een gemeenschappelijk doel nastreven. Probeer iemand met vooroordelen dus te betrekken bij een activiteit – bijvoorbeeld sport, een zakelijke onderneming of een buurtproject – samen met precies die mensen over wie hij een vooroordeel heeft. Zorg er wel voor dat je de verschillende bevolkingsgroepen goed mengt en niet de ene groep tegenover de andere plaatst.

Ander onderzoek wijst uit dat als men in de groep bij het verrichten van een taak op de anderen rekent, de mensen in die groep elkaar ook meer gaan mogen. Samenwerking binnen een groep is dus ook noodzakelijk om succes te behalen.

Voorbeeld: Een kampleider wil de spanning tussen
jongens van verschillende achtergrond verminderen.

De kampleider organiseert competities tussen de jongens – alles van blokhutten bouwen tot driebenig hardlopen. Naarmate de jongens van een bepaalde groep beginnen samen te werken tegen de 'gemeenschappelijke vijand', ontwikkelen ze een vorm van kameraadschap en beginnen ze zelfs oude vooroordelen in twijfel te trekken.

Samenvatting van de strategie

Emoties zijn de brandstof van ons denken en van de keuzes die we maken. Maak daarmee van koude feiten echte mensen met echte levensverhalen.

Gebruik de wetten van het sociale bewijs en het tegenstrijdig inzicht: laat aan iemand met vooroordelen door een persoon die hij hoogacht uitleggen waarom die dat vooroordeel niet deelt.

Als je last hebt van iemands vooroordelen, doe dan iets aardigs voor degene die de vooroordelen heeft. Dat dwingt hem zijn manier van denken opnieuw te bekijken.

Onderzoek laat zien dat als mensen uit verschillende bevolkingsgroepen, met ongeveer dezelfde opleiding, samen naar een gemeenschappelijk doel toewerken, hun vooroordelen afnemen.

Voor aanvullende strategieën:
Hoofdstuk 23: Zo leer je iedereen meer achting.

6

ZO VERANDER JE DE OUDER
DIE TE WEINIG MET ZIJN
KINDEREN BEZIG IS

Willen ouders zo veel mogelijk met hun kinderen bezig zijn? Dat denken we maar al te graag, maar daarom is het nog niet altijd zo. Veel moeders en vaders van tegenwoordig vinden ook dat ze niet genoeg tijd voor hun kroost hebben omdat ze door de vele verantwoordelijkheden van het leven overbelast worden. Toch kun je zulke ouders er met behulp van de volgende technieken toe brengen meer tijd voor hun kinderen te vinden.

Techniek 1: De buren kijken!

Soms is misschien wat sociale druk nodig om bijvoorbeeld een vader te activeren. Om die uit te oefenen kan de moeder in de buurt activiteiten opzetten voor vaders en zonen of vaders en dochters. Om niet te schande te worden gemaakt zal de vader daar dan wel aan moeten meedoen; zijn eigen vrouw heeft ze immers opgezet. Zij laat op die manier niet slechts één gezin meer tijd met elkaar doorbrengen, maar een hele buurt.

Voorbeeld: Een vrouw wil dat haar man meer tijd aan
de kinderen besteedt.

De vrouw organiseert eens in de week of een paar keer per maand activiteiten voor vaders met hun kinderen zoals softbalwedstrijden, races voor modelautootjes, beeldhouwwedstrijden. De kinderen zijn dan niet alleen onder de wedstrijden zelf met hun vader bezig, maar ook nog eens tijdens heel de planning en de voorbereiding die eraan voorafgaat.

Techniek 2: Omruilen

Tijd is schaars tegenwoordig. Je kunt terecht vinden dat ouders meer met hun kinderen bezig moeten zijn, maar help ze dan ook een handje om er de tijd voor te vinden. Op die manier hebben ouders, ook als ze er helaas niet heel sterk naar verlangen om met hun kinderen bezig te zijn, toch niet het gevoel dat ze met hen hun tijd 'verspillen' en eigenlijk andere dingen moeten doen. Dat wat ze moeten, ruil je om voor dat wat jij wilt.

> *Voorbeeld: Een grootmoeder wil dat haar zoon en*
> *schoondochter meer tijd aan hun kinderen besteden.*

De ouders klagen dat ze het daar gewoon te druk voor hebben. Ook op de zondag zijn ze altijd bezig: het gazon maaien, de was verzorgen, boodschappen doen. Dus stelt oma voor dat zij al die plichten eens een zondag overneemt. Nu zijn de ouders dus vrij om dingen met hun kinderen te doen zonder zich schuldig te voelen over 'tijdverspilling' of ondertussen aan corveeën en dergelijke te moeten denken.

Techniek 3: Wederzijdse voldoening

Ouders die niet zozeer de noodzaak inzien om meer tijd aan hun kinderen te besteden, doen dat misschien wel als het leuk is. Stel dingen voor waar ouder en kind allebei van houden: hobby's, sport en dergelijke. Door samen bezig te zijn kunnen ze een verstandhouding opbouwen en de ouders doen iets wat ze sowieso graag gedaan hadden.

Voorbeeld: Je wilt dat je man en je zoon uit een eerder huwelijk meer tijd met elkaar doorbrengen.

Bedenk een bezigheid die ze allebei leuk vinden. Of dat nu karate, model-vliegtuigjes, hengelen, kunst of koken is, het maakt niet uit. Een gezamenlij-ke belangstelling leidt vaak tot wederzijdse genegenheid en vertrouwen, dus als twee mensen bezig zijn met iets waar ze allebei van houden, ver-sterkt dat de band.

Een goede investering

Een vader is onontbeerlijk voor de emotionele en verstandelijke groei van een kind. Onderzoek heeft aangetoond dat de betrokkenheid van een vader van grote invloed is op zowel het gedrag als het leervermogen van een kind. Kinderen van wie de vader actief bij hun leven betrokken is hebben hogere cijfers voor wiskunde en taal dan andere kinderen.

TECHNIEK 4: WEES PRAKTISCH

Een goedwillende moeder merkt dat de dag gewoon tussen haar vingers doorglipt. Ze moet dus iets regelen om te voorkomen dat de dag voorbij is zonder dat ze gedaan heeft wat ze moest – in dit geval tijd met haar kinde-ren doorbrengen. Weet wel dat de hoeveelheid tijd minder belangrijk is dan de kwaliteit. Met een kind samen televisie kijken is niet samen tijd door-brengen en geeft het kind geen enkele emotionele voldoening.

Voorbeeld: Jim wil dat zijn vrouw Marie, die twee ba-nen heeft, meer tijd vrijmaakt voor hun dochter.

Natuurlijk: als Marie een van haar twee banen zou kunnen opgeven, zoveel te beter. Maar als dat niet kan, moeten Jim en Marie het zo regelen dat Marie op bepaalde vaste uren tijd voor het meisje vrijhoudt. Ze zou bijvoorbeeld elke avond een uur en zondag de halve dag kunnen vrijhouden om met haar dochtertje ononderbroken bezig te zijn. In plaats van het kind in haar dagindeling te wringen, plooit Marie haar dagindeling om het kind heen. Die vaste uren zijn als in steen gebeiteld en al het andere wat gebeuren moet, proberen de ouders ervoor of erna te doen. Zo'n regeling maakt het meisje duidelijk dat zij voorop staat en alle kinderen hebben dat nodig om te voelen dat ze echt geliefd en gewaardeerd worden.

Techniek 5: De macht der schijnheiligheid

Onderzoek toont aan dat menselijk gedrag het snelst verandert wanneer (1) we ook zelf vinden dat we echt iets moeten gaan doen of (2) we gewezen worden op een tegenstrijdigheid tussen onze woorden en onze daden. Zo werd in Californië het gedrag van studentes in een kleedkamer onderzocht. Als zij binnenkwamen om te douchen kregen zij een petitie voorgelegd met de tekst: *Korter douchen! Draai bij het inzepen de douchekraan dicht. Als ik het kan, kan jij het ook.* Daarnaast werd een aantal ondervraagd over hun eigen douchegewoonten: *Draait u zelf bij het inzepen eigenlijk wel altijd de kraan dicht?*

Vrouwen die anderen in die petitie aangespoord hadden tot iets wat zij zelf nooit hadden gedaan, werden zich nu bewust van hun kennelijke schijnheiligheid en stonden maar half zo lang onder de douche als degenen die óf alleen maar de petitie hadden getekend óf alleen maar vragen hadden beantwoord. Zo'n een-tweetje is uiterst doeltreffend. Als mensen een bepaalde overtuiging uitspreken en er dan aan herinnerd worden dat ze zich daar zelf niet aan hielden, ontstaat er een sterke drang tot handelen (Dickerson e.a., 1992).

> *Voorbeeld: Kelly wil dat haar man Sam, die vaak*
> *voor zaken op reis is, meer tijd met hun*
> *kinderen besteedt.*

Kelly vraagt Sam een petitie te tekenen of een kort artikel voor een nieuws-brief te schrijven over het belang van de vader in het leven van een kind. Omdat hem dat niets kost, zal hij het denkelijk wel doen. Vervolgens vraagt Kelly hem na een korte tijd wanneer hij zelf voor het laatst leuk met hun kinderen bezig is geweest.

Verbazingwekkende psychologische krachten zijn hier in het spel. On-bewust wordt Sam ertoe gedreven zijn schijnheiligheid recht te trekken en daardoor krijgt hij veel meer zin om bij zijn kinderen te zijn. Als Kelly nu zou vragen of hij met de kinderen wil gaan kamperen, is er veel meer kans dat hij ja zegt. En dat hij die petitie heeft getekend, daar hoeft zij hem heus niet aan te herinneren. Als hij er met zijn gedachten bij was, zal hij het niet gauw vergeten zijn, vooral omdat het niet met zijn doen en laten klopte.

Samenvatting van de strategie

Gebruik de macht van sociale druk om ouders meer met hun kinderen be-zig te laten zijn, ook al vinden ze dat vanuit zichzelf misschien niet zo nodig.

Als ouders niet genoeg tijd voor hun kinderen hebben, ruil dan de din-gen die ze denken te moeten doen om voor dat wat jij ze wilt laten doen. Dat vinden ze goed omdat ze dan niet het gevoel hebben dat belangrijkere din-gen ongedaan blijven.

De beste manier om een ouder en een kind meer met elkaar bezig te la-ten zijn, is iets te bedenken waar ze allebei belangstelling voor hebben. Ook al zijn ze niet eens zo graag samen, ze zullen toch plezier beleven aan de sa-men doorgebrachte tijd. Ook vergroot je de kans dat ze uiteindelijk toch plezier in elkaars gezelschap krijgen.

In plaats van dat ouders altijd tussen andere dingen door tijd proberen te vinden voor hun kinderen, stel je voor de kinderen een tijd vast en bouw je je agenda daaromheen. Dat geeft niet alleen de zekerheid dat pa en ma tijd met hun kroost doorbrengen, het maakt de kinderen ook duidelijk dat ze heel belangrijk en geen bijzaak zijn.

Schakel de kracht van de psychologie in en wijs op tegenstrijdigheden tussen de waarden die ouders zeggen te hebben en dat wat ze feitelijk doen. Dan moet er iets gaan schuiven en zo verandert hun denken.

Zie voor aanvullende strategieën:

Hoofdstuk 3: Zo maak je van iedereen een moreel beter mens

Hoofdstuk 9: De gave van zelfwaardering

Hoofdstuk 26: Maak iedereen meer geïnteresseerd in alles

7

ZO LAAT JE IEDEREEN
AFSLANKEN

Bijna ieder van ons wil gezond zijn en er zo goed mogelijk uitzien, maar in de strijd die daarvoor nodig is, schieten we vaak tekort. Iemand laten afslanken is daarom niet een kwestie van iemand daarvan overtuigen, maar van voor zijn gevoel een weg vrij te maken tot verandering van zijn eetgewoonten en zijn opvatting over gezondheid.

TECHNIEK 1: HELP ME ASJEBLIEFT

Je kunt iemand helpen afslanken door hem dingen voor je te laten doen. Als je hem of haar vraagt geen snoep te kopen omdat je dat niet in huis wilt hebben of samen met jou naar een sportschool te gaan omdat je dan zelf gemakkelijker kunt afvallen, dan laat je hem zijn gewoonten veranderen zonder dat hij bewust daartoe heeft besloten. Ook zullen mensen soms eerder iets voor een ander doen dan voor zichzelf. Hij is dus blij om iets voor je te kunnen doen en zodra hij begint af te slanken doe je er een schepje bovenop en maak je zijn verlangen om in een betere vorm te komen – en te blijven – nog groter.

Voorbeeld: Je man zou moeten afslanken maar hij
weet het zelf niet.

Als je man best wel een paar kilo lichter mag worden, zeg hem dan zoiets als: 'Schat, ik ga proberen om voor de zomer in vorm te komen, maar je weet dat ik geen wilskracht heb. Als we snoep en koek buitenshuis kunnen houden, zou me dat geweldig helpen. En ik vind afvallen alleen zo saai, kunnen we niet samen wandeltochten maken? Of misschien samen naar de sportschool. Ik wil ook een paar vetarme en caloriearme recepten proberen, waar iemand het over had. Ik ga nu de ingrediënten in huis halen en het voor vanavond klaarmaken.'

Deze techniek kan slagen omdat jij je man in goede vorm wil brengen, hij jou bij je plannen wil helpen en jij ondertussen je doel bereikt.

Een zaak om te onthouden

Het ego kan voor of tegen ons werken. Iemand die misschien niet wil afslanken voor zijn gezondheid, wil dat misschien wel uit ijdelheid. Juist doelbewust levende mensen die graag naar een streefdatum toewerken, hebben vaak zin om zo hun teveel aan kilo's kwijt te raken. Stel hun dus een viering in het vooruitzicht – bruiloft, reünie, verjaardag – en je biedt een sterke reden om af te slanken.

Techniek 2: Smeed het ijzer als het heet is

Wat vandaag tot de volgende week wordt uitgesteld zal dan waarschijnlijk wel opnieuw uitgesteld worden. Zin heeft maar een beperkte tijdsduur, dus zodra mensen zin hebben, help je ze meteen. Dat geeft ze ook onbewust het gevoel dat het om iets belangrijks gaat. Onmiddellijke actie maakt dingen inderdaad belangrijker.

Voorbeeld: Tom wil dat zijn vrouw Patricia meer
belangstelling krijgt voor een gezonde manier
van leven.

Steeds als Patricia praat over iets dat met gezondheid te maken heeft, gaat Tom van alles doen om haar tot daden te brengen. Als ze bijvoorbeeld zegt dat een trektocht haar leuk lijkt, gaat hij meteen op internet een tocht boeken. Als ze praat over gezonder koken, koopt hij een paar nieuwe kookboeken. Zodra de zin als een golf komt aanrollen: grijp het moment en je zult verbaasd zijn hoelang je mee kunt surfen.

Denk eraan de zaak psychologisch in beweging te houden. Als je denkt dat de tijd nog niet rijp is voor verandering, kun je toch alvast beginnen iemands gedrag blijvend te beïnvloeden.

TECHNIEK 3: DEEL VAN EEN LEEFPATROON

Gedrag is het gemakkelijkst te veranderen als het nieuwe, gewenste gedrag in een leefgewoonte of leefpatroon is ingebed. Behandel gedrag dus niet apart. Als je bijvoorbeeld wilt dat je zoon zijn huiswerk maakt, geef dat gewenste gedrag dan een plaats tussen twee dingen die hij graag doet. Als hij van school komt, laat je hem eerst iets eten, dan zijn huiswerk maken en dan buiten spelen. Die volgorde moet altijd dezelfde zijn en ook de tijdsduur moet zoveel mogelijk hetzelfde zijn.

Voorbeeld: Een stel wil samen afslanken en meer aan
lichaamsoefening doen.

Het stel zou voor de oefeningen een vaste tijd en plaats moeten kiezen. Ook zouden ze daarvoor en daarna altijd hetzelfde moeten doen. Bijvoorbeeld als vaste gewoonte vier keer per week na het werk samen naar de sportschool gaan, daarna naar huis voor het avondeten met het gezin en dan een spelletje met de kinderen. Als trainen een deel van hun tijdschema is en niet een toevoegsel, is er meer kans dat het stel het volhoudt.

Techniek 4: De macht van vriendelijkheid

Als je iemand het afslanken gemakkelijker wilt maken, geef hem dan wel het noodzakelijke geestelijke voedsel. Dat is ongeveer dezelfde steun als voor iemand die zelfverwoestende neigingen vertoont. Wij noemen hier twee hoofdpunten, maar voor een uitgebreider overzicht zie hoofdstuk 10.

Veel mensen hebben constant kritiek op degene die ze proberen te helpen. Toch werkt hulp veel beter als men alleen positief gedrag positief ondersteunt en niet ingaat op tekortkomingen. Onmisbaar voor een helingsproces is onvoorwaardelijke liefde of, waar dat meer toepasselijk is, gewoon aanvaarden. De ander moet weten dat je hem of haar onvoorwaardelijk liefhebt en respecteert voor wie hij of zij is. Volgens de oude uitdrukking 'Wat uit het hart komt gaat naar het hart toe'. Als je echt iemands beste belang ter harte neemt, zal hij dat ook zo voelen.

Voorbeeld: Chuck wil zijn vrouw helpen afslanken en
in vorm komen.

Chuck gebruikt de bovengenoemde ideeën en zegt tegen zijn vrouw: 'Schat, je weet dat ik vind dat je fantastisch bezig bent. Het is niet gemakkelijk voor je en ik ben erg trots dat je zo goed vooruitgaat. Maar je moet ook weten dat als je ermee op zou willen houden, ik dat ook prima vind. Ik hou van je en blijf van je houden, wat je ook doet. Dat je afslankt is fantastisch en je houdt mijn volle en onvoorwaardelijke steun.' Chuck zegt dat dikwijls, in feite kan hij het niet vaak genoeg zeggen.

TECHNIEK 5: EEN DIEPERE REDEN

Een man was erg zwaarlijvig en hoewel hij van alles probeerde, kon hij de kilo's gewoon niet kwijt raken. Zijn dochter had een niertransplantatie nodig en die man stelde een van zijn nieren beschikbaar. Toen bleek echter dat de artsen de operatie niet konden uitvoeren vanwege zijn gewicht. Daarop lukt het de man zeventig kilo gewicht kwijt te raken om een nier te kunnen afstaan aan zijn kind.

Als een vader er nu eens bij zou stilstaan wat er gebeurt als hij aan een hartaanval sterft, dat zijn zoontje dan opgroeit zonder vader en nadelen ondervindt die voor altijd een grauwsluier over zijn leven leggen, dan zou hij nog wel eens over zijn eetgewoonten nadenken. Als hij dan ook herinnerd wordt aan de pijn die hij zijn ouders, familie en vrienden daarmee doet, zal hij nog wel eens twee keer nadenken over zijn manier van leven. Voor zichzelf kan het hem misschien niets schelen dat hij zich niet in acht neemt, maar het is misschien een krachtige stimulans het licht eens te laten vallen op het leed dat hij anderen ermee aandoet.

Voorbeeld: Emily, een alleenstaande moeder, wil haar vader helpen afslanken.

Emily zou kunnen zeggen: 'Weet je, pa, als jou iets overkomt, zouden de kinderen je geweldig missen. Je weet hoe sterk ze aan je gehecht zijn, je bent de enige vaderfiguur in hun leven. Zij kijken naar je op en ze hebben je nodig. Als je dan niet voor jezelf aan lichaamsbeweging wilt doen en beter wilt eten, doe het dan voor hen.' Emily's woorden maken het voor haar vader moeilijker om teveel te blijven eten, hij zou zich nu immers terecht schuldig kunnen voelen. En misschien merkt zij dan dat hij meer zin krijgt om af te slanken.

Samenvatting van de strategie

Laat het samen fit worden niet om de ander draaien maar om jezelf. Zo zal de ander jou helpen afslanken terwijl jij bewerkstelligt dat die ander in vorm komt. Benut het moment. Zodra iemand belangstelling toont om te doen wat jij in gedachten hebt, breng je de zaak meteen in beweging. Gedragsverandering is het gemakkelijkst als die in een patroon of routine wordt ingebed. Maak het iemand gemakkelijker om nieuw gedrag aan te leren door dat gedrag positief te versterken en onvoorwaardelijke liefde en respect te geven. Help mensen beseffen hoe belangrijk het is hun gezondheid in acht te nemen door hun erop te wijzen dat ook anderen eronder lijden als ze ziek zouden worden of erger.

Zie voor aanvullende strategieën:
Hoofdstuk 9: De gave van zelfwaardering
Hoofdstuk 23: Zo leer je iedereen meer achting
Hoofdstuk 26: Maak iedereen meer geïnteresseerd in alles

DEEL II

Zo verander je ieders gemoedstoestand

Maak ongelukkige mensen gelukkig en neuroten normaal en iedereen stabiel, gelukkiger en evenwichtiger. Of het je ouder, vriend(in), man, vrouw of patiënt is: verbeter blijvend ieders gemoedstoestand.

Stilte is het beste middel voor uw welbevinden
– *Avos 1:17*

8

EERSTE HULP: SNEL IEDERS STEMMING OMDRAAIEN

Heeft u ook van die eeuwige zwartkijkers in uw leven, van die mensen die uit iedereen in hun omgeving energie aftappen? Geef ze aan de hand van de volgende richtlijnen eens snel een injectie emotionele adrenaline en trek ze zo op naar een betere stemming. En als je zelf eens bliksemsnel van pessimist optimist wilt worden, probeer de technieken dan ook op jezelf uit.

TECHNIEK 1: INVESTEER IN DE LANGE TERMIJN

Denken en doen op een manier van 'Ik geef om mezelf' is voor ons welzijn onontbeerlijk. Wie alleen maar voor vandaag leeft, stuurt naar zijn onderbewustzijn de boodschap 'Wat me morgen overkomt, kan me niet schelen'. En dat is schadelijk voor ons gevoel.

Heb je je wel eens voor een sportclub aangemeld en toen gemerkt dat je meteen in een ongewoon goed humeur kwam? Terwijl je nog geen halter had opgetild en geen baantje gezwommen. Waarom voelde je je dan zo goed? Omdat je je onderbewustzijn de boodschap had gezonden: 'Ik investeer in mijzelf'. Als we onszelf negeren, is het net alsof wij ook door een ander worden genegeerd: we voelen ons er altijd ellendig bij. Als je iemand aanmoedigt een daad te stellen in de zin van 'Ik hou genoeg van mijzelf om tijd en energie te steken in degene die ik ben', help je hem opnieuw een gevoel van eigenwaarde op te bouwen, wat hem weer in een betere stemming brengt.

*Voorbeeld: Je wilt je schoonzuster Magda van haar
zwartgalligheid afhelpen.*

Moedig Magda aan om doelen te stellen die op lange termijn voordeel geven – bijvoorbeeld een afspraak met de tandarts maken, de zolder uitrui-
men, een pensioenregeling treffen. Dat zal haar een beter gevoel geven omdat ze verantwoordelijkheid neemt voor zichzelf en in zichzelf investeert
(dat de handelingen, zoals naar de tandarts gaan, op zichzelf onaangenaam
kunnen zijn, staat daarbuiten). In het ideale geval kun je Magda van tijd tot
tijd in die zin blijven aanmoedigen. Uiteindelijk zal ze zich dan gaan richten
op de toekomst en niet op onmiddellijke voldoening.

Techniek 2: Pure pret

Als iemand in de put zit, proberen welwillende mensen hem vaak ertoe over
te halen leuke dingen te gaan doen, om dan al gauw te merken dat zo'n ongelukkige dat niet wil.

Geef hem het gevoel dat hij leeft. Want vrolijkheid, de voorpret van iets
leuks, is nog niet hetzelfde als geluk. Mensen die zich naar voelen, kunnen
moeilijk leuke dingen doen. Hun geest ijlt heen en weer, hun gedachten zijn
totaal in de war en zij zijn gewoonweg moe, hun gevoelens lekken weg. Ze
zijn voor hun gevoel 'buitenstaanders', hebben geen plezier in de wereld,
kunnen er niet mee in contact komen.

Maar als hun iets wordt aangereikt om naar uit te kijken, kunnen ook
depressieve mensen plannen maken en alvast in dat heerlijke toekomstge-
beuren opgaan. Dat geeft hun niet alleen iets wat hen helemaal in beslag
neemt, het maakt het hun ook gemakkelijker hun leven te veranderen. Als
we ergens over in opwinding raken, kruipen we uit onze schulp, zoeken
meer contact met het leven en willen meer een stukje van de wereld zijn.

Ook mensen die 'ze allemaal op een rijtje hebben' kunnen zich bijvoorbeeld na een vakantie wel eens wat neerslachtig voelen. Dat komt doordat,

hoe geweldig die vakantie ook was, zij nooit tegen het ideaal opkon. Achteraf voelen mensen zich dan soms bedroefd omdat de verwachting zo groot was en de werkelijkheid daar niet tegenop kon.

Voorbeeld: Je vrouw heeft dagenlang in huis lopen
kniezen.

Bedenk iets wat je vrouw spannend vindt en ga dat al een paar weken van tevoren regelen. Dat kan van alles zijn: van vakantie tot plastische chirurgie tot een bezoek aan vrienden buiten de stad. Het lokmiddel dat je haar gevoel voorhoudt, zal haar op positieve en gelukkige gedachten gericht houden. Loop desnoods een heel aanbod van lokmiddelen met haar door totdat ze zelf genoeg innerlijke vreugde kan ontlenen aan dingen doen en uiteindelijk gewoon aan het leven.

Dat moet ik hebben!

Deze kronkel van de menselijke aard wordt het best uitgebuit door nachtelijke reclamefilmpjes. Wist je dat meer dan tachtig procent van de mensen die een zelfverbeteringsartikel van de televisie bestellen, zelfs de doos nooit openmaakt?

Wat drijft die nachtuilen dan? Louter door de telefoon te pakken en het nieuwste wonderartikel te bestellen (dat hun voorhoudt dat ze geld zullen krijgen, vastgoedbaron worden of in een week tijd een dik lichaam dun kunnen laten worden) zijn ze vol vreugde over het vooruitzicht.

Techniek 3: Tijd is leven

Wie leeft in strijd met zijn eigen waarden en normen, heeft lekkage. Een redelijke vader zal zijn zoon nog voor geen tien miljoen verkopen, maar diezelfde vader besteedt misschien maar erg weinig tijd aan die jongen. Dat kan hij dan wel op talloze manieren rechtpraten, maar uiteindelijk kost hem dat zijn energie. Hij raakt ook innerlijk verdeeld – in een emotionele strijd. Hij kan niet tegelijkertijd vinden dat X het allerbelangrijkste is en zijn tijd en moeite in Y steken. Om voor zijn gevoel wat waard te blijven moet hij minstens tot op zekere hoogte leven in overeenstemming met zijn waarden en met wat hij echt in het leven wil.

> *Voorbeeld: Je bent therapeut en hebt een patiënt,*
> *Arthur, die maar niet uit zijn depressie lijkt te*
> *kunnen komen.*

Prioriteiten stellen helpt onze gedachten en ons leven te vereenvoudigen, harmoniseren en op elkaar af te stemmen. Moedig Arthur aan op één levensgebied helemaal zichzelf te zijn en daar dan heel voorzichtig naartoe te werken. Als hij altijd al schilder wilde zijn, laat hem dan verf en doek kopen; als hij denkt dat menselijke betrekkingen belangrijk zijn, laat hem dan iemand met wie het contact verstoord is, vergeving schenken of zich bij hem verontschuldigen. Wat mensen belangrijk vinden kunnen ze niet geheel en al negeren. Naar iets toewerken wat voor hem een persoonlijke betekenis heeft, zal Arthur uit zijn neerslachtigheid halen en zijn gevoelsleven en moed sterker maken.

De spelen beginnen

Mensen die in een nare stemming verkeren, zitten vol emotionele en lichamelijke negativiteit. Ze verkeren in een vernauwde bewustzijnstoestand waarin zij alleen maar hun eigen noden en behoeften zien. Laat ze aan een buitenspel gaan doen, aan dansen, aerobics of sport zodat zij lichamelijk in beweging komen. Dat soort activiteiten maken ook endorfine vrij, wat hun fysiologie verandert en hen in een beter humeur brengt.

TECHNIEK 4: GENOEG OVER JOU

Een gescheiden vrouw is ongelukkig. Laat haar iets voor je doen door haar om hulp of raad te vragen. Haar aandacht afleiden van haarzelf naar iemand anders, is een fantastische manier om haar stemming op te vijzelen. Dat werkt doordat je haar op drie manieren een goed gevoel over zichzelf geeft. Ten eerste betoon je vertrouwen waardoor zij zich betrouwbaar gaat voelen. Ten tweede geef je haar de kans om ergens toe bij te dragen, waardoor zij zich onafhankelijker voelt. Anderen iets geven, geeft ons het gevoel onafhankelijk en belangrijk te zijn en dat vrijheidsgevoel hebben wij weer nodig voor een goed gevoel over onszelf. En ten slotte leidt je de aandacht af van haar eigen problemen. Hoe minder tijd ze besteedt in bezetenheid met zichzelf, des te minder ze ook haar negativiteit voelt.

Voorbeeld: Je wilt je collega Carolien, die pas gescheiden is, wat opmonteren.

Vraag haar om raad en haar mening en moedig haar aan om voorstellen te doen over elk probleem waar je mee kunt zitten. Zeg bijvoorbeeld: 'Carolien, jij bent zo goed met mensen, kun jij me helpen met een plan hoe we die aannemer kunnen aanpakken?' of 'Jij bent beter met computers dan wie dan ook: hoe bereken je de beste manier om tot maximum snelheid op te trekken?'

Als je ook nog iets aan Caroliens raad had gehad en haar achteraf met een telefoontje of kaartje van waardering bedankte, des te beter. Wat Carolien jou geeft – haar tijd of haar raad of haar mening – doet er niet toe: zolang ze maar geeft en niet neemt, zal haar stemming erop vooruit gaan.

Vraag Carolien jou te helpen met een project en laat haar zo zelfstandig mogelijk aan het werk gaan. Vraag haar al naar gelang de situatie op z'n minst om iets te doen en laat haar bij de voorbereiding en de uitvoering daarvan volledig de vrije hand. Vraag haar bijvoorbeeld een trainingsprogramma te leiden of een nieuwe receptioniste aan te nemen en in te werken of de lobby op te knappen.

Samenvatting van de strategie

Om een goed gevoel te hebben is het onontbeerlijk om te denken en te doen op een manier die zegt 'Ik geef om mezelf'. Moedig doelstellingen aan die op lange termijn vrucht afwerpen.

Leven in tegenspraak met onze eigen levenswaarden doet onze energie weglekken. Help anderen zichzelf te zijn, oprecht te zeggen wat ze van het leven willen en een beetje in die richting te werken.

Bedenk een gebeurtenis die een neerslachtig mens spannend zal vinden en plan die een paar weken vooruit. Zo'n verlokkende wortel zal zijn aandacht op positieve, gelukkige gedachten richten en een verandering gemakkelijker maken.

Geef depressieve mensen de kans ook iets bij te dragen. Door de aandacht van hun persoon af te leiden en geloof en vertrouwen in hun kunnen te tonen, help je hen zich alvast voorlopig te laten doordringen van een gevoel van vertrouwen en welzijn.

Zie voor aanvullende strategieën:
Hoofdstuk 9: De gave van zelfwaardering
Hoofdstuk 15: Zo maak je van een luiwammes een eerzuchtige doorzetter
Hoofdstuk 23: Zo leer je iedereen meer achting

DE GAVE VAN
ZELFWAARDERING

Zo help je iedereen meer om zichzelf te geven

De poort tot zelfwaardering is zelfrespect. Heel simpel: als we onszelf respecteren gaan we onszelf ook waarderen. Maar hoe verdienen we ons eigen zelfrespect? Dat verdienen we als we liever iets doen wat goed is dan iets wat gemakkelijk is – of wat alleen maar een goede indruk maakt. En als we die laatste wegen kiezen, geven we letterlijk minder om onszelf.

In ieder van ons zijn drie innerlijke krachten met elkaar in strijd: het lichaam, het ego (of lagere gemoed) en de ziel. Het lichaam wil uit het leven ontsnappen door slaap, vermaak en eindeloze ontspanning, het ego smacht naar aandacht en controle en de ziel wil doen wat goed is.

De lichamelijke drang is om te doen wat gemakkelijk en geriefelijk is. In overmaat is dat bijvoorbeeld te veel eten of slapen, zeg maar dingen doen of laten alleen vanwege hoe het voelt. De drang van het ego kan gaan van een grapje ten koste van een ander tot het kopen van een auto die wij ons niet kunnen veroorloven. In wezen handelen we dan steeds zo om op anderen een bepaalde indruk te maken. Door het ego gedreven doen we dingen die het 'juiste' beeld uitstralen vanuit het oogpunt van macht en aanzien, dingen die veel mensen opvatten als doelen op zichzelf, niet als middelen tot iets zinvollers. Onze keuze berust dan niet op wat goed is, maar op dat wat een goede indruk maakt. Als wij dat doen, beheersen we onszelf niet.

Als we daarentegen de keus maken om te doen wat goed is, hebben we ook over onszelf een goed gevoel. Alleen wanneer we verantwoord kunnen kiezen – en dat ook doen – verdienen wij ons eigen zelfrespect en daardoor ook zelfwaardering. Zo zijn zelfrespect en zelfwaardering met elkaar vervlochten. Mensen die zichzelf en wat ze echt willen niet beheersen, hebben geen zelfrespect: ze zijn slaven van de maatschappij of van hun opwellingen.

Dat verklaart ook het verschijnsel van de controlemaniakken. Als zulke mensen het respect niet krijgen waar ze naar smachten, treedt het laatste wapen van het ego, de woede, naar buiten. Dit is een verweer tegen gevoelens van kwetsbaarheid. Woede is een illusie van controle, een laatste gevoel van macht als men in feite de controle kwijt is. Hoe minder controle mensen over zichzelf hebben, des te meer proberen ze het leven van anderen te controleren. Ze moeten wel ergens de baas over zijn en omdat ze geen greep op hun eigen leven kunnen krijgen, proberen ze dat op het leven van anderen. Zulke mensen bedoelen het vaak goed, ze willen helpen. Ze komen alleen wat opdringerig en doordouwerig over omdat hun ego van hen eist dat ze iets bereiken. En dat kan alleen als jij hun raad aanneemt.

Geeft hij om zichzelf?

Een snelle manier om te weten of iemand zichzelf waardeert, is te kijken hoe hij zichzelf en anderen behandelt. Iemand zonder zelfwaardering kan voor zichzelf opgaan in dingen die alleen zijn eigen verlangens bevredigen en anderen zal hij niet bijzonder goed behandelen. Of hij zal anderen misschien overmatig trakteren omdat hij naar hun goedkeuring en respect haakt, maar ondertussen niet goed voor zichzelf zorgen. Alleen iemand met echt zelfrespect zal zowel zichzelf als anderen goed behandelen. En met 'goed' bedoelen we dan niet het uitwisselen van oppervlakkigheden. Hij zal liever investeren in zijn welzijn op lange termijn en daarnaast goed en vriendelijk voor anderen zijn, niet opdat zij hem aardig zullen vinden, maar omdat hij hen mag of omdat dat goed is om te doen.

Mensen met controle over zichzelf hebben de vrijheid om te kiezen en dat onafhankelijkheidsgevoel brengt weer een emotionele kettingreactie op gang. Die ketting omvat een verscheidenheid aan 'bestanddelen' die de geest in evenwicht houden en die waar ze ontbreken mensen uit hun koers werpen. De oplossing is om mensen zonder zelfwaardering aan een infuus van deze bestanddelen te leggen en hen weer tot een gevoelsmatig gezond wezen te maken, rijk aan zelfwaardering.

Zeven sleutels tot zelfwaardering

Sleutel 1: Mensen moeten bewegen

Wist je dat goedlopende fitnesscentra elke maand meestal honderden nieuwe aanmeldingen krijgen? En toch hoeven ze er nooit een nieuw kleerkastje bij te zetten. Hoe kunnen er nu honderden klanten bijkomen zonder dat de bazen van het centrum roepen: 'Pak de mokers en sloop de muren, we moeten nu meteen tweehonderd nieuwe kastjes plaatsen'? Het antwoord is dat fitnesscentra de menselijke natuur begrijpen. Mensen zijn verzaligd als ze besloten hebben zich in te schrijven. Ze vinden het heerlijk er naartoe te gaan, zich te melden en zich op te geven. Ze besteden honderden euro's en een hoop tijd aan het kopen van een sporttas, gymschoenen, hoofdbanden en trainingspakken. Ze zijn in alle staten, ook al hebben ze nog geen druppel gezweet. Waarom? Omdat ze vooruit werken.

Wie niet naar een zinvol doel toewerkt, heeft geen gevoel van vervulling. In de natuur bestaat geen stilstand. Om zich goed te voelen, om te voelen dat ze leven, moeten mensen zich ergens op richten, naartoe werken. Ons zenuwstelsel en onze motoriek zijn daarop gebouwd.

Maar zoals uit het voorbeeld van het fitnesscentrum blijkt, is het één ding om een doel te hebben maar kan het daar niet bij blijven. Om in beweging te blijven moeten ziel en lichaam ook bepaalde sleutelideeën in zich opnemen. Laat me dat verduidelijken.

Voorbeeld: Je wilt dat je dochter beter over zichzelf
gaat denken.

Welk soort doel of taak je je dochter stelt, hangt het meest van de aard van jullie verstandhouding af. Hoe groot de taak is doet er niet toe, als hij voor haar maar belangrijk is. En als het maar iets is wat zij graag doet. Voor een kind zou het een hobby of sport kunnen zijn. Een patiënt kun je een non-profitbedrijfje laten opzetten.

Sleutel 2: Het ego heeft een meetbare greep nodig
Volwassen circusolifanten treden op aan een dun touw dat met een lus om een enkele poot vastzit. Ze proberen niet los te breken, want toen ze nog jong en zwakker waren en ook al zo getuierd werden, hebben ze dat al geprobeerd en na een paar keer moeten opgeven. Als volwassen dieren zouden ze nu gemakkelijk de hele circustent om kunnen trekken en ervandoor gaan, maar omdat ze geleerd hebben dat ze machteloos zijn, proberen ze dat niet eens meer.

Aangeleerde machteloosheid, een term die het eerst gebruikt is door de psycholoog Martin Seligman, treedt op als iemand voelt dat hij of zij een toestand toch niet onder controle heeft en het daarom maar opgeeft. Seligman stelde dat mensen machteloos zijn als ze denken dat hun handelen toch geen invloed heeft op wat ze willen. Mensen moeten het gevoel hebben dat als ze handeling X verrichten resultaat Y daaruit zal volgen. Maar wanneer mensen gaan denken dat zij toch niets aan hun leven kunnen veranderen, raken ze de greep erop kwijt en de wil om wat dan ook te doen.

Zulke mensen moeten eraan herinnerd worden dat hun handelen wel degelijk resultaten heeft. Zolang ze het tegendeel geloven, zullen zij begrijpelijkerwijze vinden dat ze hun leven niet onder controle hebben. En dat is genoeg om ieder mens depressief en gefrustreerd te maken.

Sterker nog, als mensen voelen dat het niets uitmaakt wat ze doen, dat het toch nergens toe leidt, kan hen dat stapelgek maken. En omdat vernielen gemakkelijker is dan opbouwen, komen zulke emotioneel verstoorde mensen vaak uit bij een snelle emotionele reactie: in plaats van naar een positief doel toe te werken een beschadigende klap uitdelen voor het effect of om aandacht te krijgen.

Om zich emotioneel echt goed te voelen, moeten mensen echter voelen dat ze er ook werkelijk toe doen. Zo maar een druppeltje in de wereldzee zijn is niet bepaald inspirerend; pas resultaten brengen een verlangen naar meer groei en beweging op gang. Ook het gevoel dat er dingen gebeuren is voor mensen soms niet genoeg; op hun moeilijkere momenten heeft hun ego het onaantastbare, rotsvaste bewijs nodig dat ze iets wezenlijks doen.

Bedenk dus een manier om iemands successen te meten zodat die persoon kan zien dat hij of zij vooruitgaat. Hij moet voelen dat hij een nuttig mens is, greep op de zaken heeft en invloed kan uitoefenen op de dingen of ze kan veranderen. Iemand zonder zelfwaardering kan het gevoel hebben dat hij ronddrijft, geen anker heeft. Zo'n anker zou hem helpen meer vastigheid en stabiliteit te gaan voelen.

Alles in de natuur heeft een kringloop en als iemand iets wat hij begonnen is ook kan voltooien, krijgt hij niet alleen het gevoel iets bereikt te hebben, maar ook nog de voldoening iets moeilijks met succes te hebben volgehouden. In het ideale geval komt vooruitgang dus in de vorm van op elkaar volgende doeleinden zodat iemands minisuccessen steeds afgerond zijn en zijn eigenwaarde blijven opvijzelen.

Voorbeeld: Je medewerkster Irma mist het zelfvertrouwen dat ze nodig heeft om beter te kunnen presteren.

Stel Irma een doel – bijvoorbeeld om het jaarlijkse diner van de firma te organiseren. Vervolgens maak je samen – of laat het haar alleen doen – een lijst met dingen die daarvoor gedaan moeten worden, van het vinden van de zaal tot en met het sturen van de uitnodigingen. Houd dan elke week haar voortgang bij. Zodra Irma punten van haar lijst begint af te strepen, zal ze trots zijn op haar vooruitgang.

Sleutel 3: Het gevoel van onafhankelijkheid en zelfstandigheid

Vrijheid is kunnen kiezen wat je wilt. En zoals gezegd, een mens kan alleen kiezen als hij controle heeft over zichzelf. En wie zichzelf niet waardeert, heeft geen controle over zichzelf. Steeds als we onze vrije wil in een zinvolle richting uitoefenen, geeft ons dat vreugde omdat het ons naar een gevoel van vrijheid en stabiliteit toe brengt. Als iemand zoals Irma moeite heeft haar vrije wil te gebruiken, geven we haar de mogelijkheid om die kant van haar geest te activeren en daarmee een gevoel van vrijheid.

Daarom moet het doel, het streven of de baan waar ze voor gaat iets zelf-standigs hebben. Ze moet zelf besluiten kunnen nemen en daar ook de gevolgen van dragen – dezelfde wet die ook in haar dagelijks leven zou moeten gelden, maar dat (nog) niet doet.

In het ideale geval zou ze helemaal zelf die richting op moeten werken, maar het is niet waarschijnlijk dat je de luxe geniet van een medewerkster die zonder snelle beloning in zichzelf wil investeren. Je kunt haar dus wel het einddoel geven maar in het begin zal ze toch door eigen inspanning moeten opklimmen, of terugvallen. Als wij ergens in investeren – onszelf in-begrepen – gaan wij onszelf meer waarderen. Iemand die het verband tus-sen oorzaak en gevolg probeert te herstellen, moet voelen dat hijzelf voor de resultaten verantwoordelijk is, dat de kans zelf een geschenk is, maar dat het alleen door zijn inspanning slagen kan.

> *Voorbeeld: Je tienerzoon Henri is onhandig met*
> *mensen en komt zelfwaardering tekort.*

Geef Henri een taak met meetbare stadia van vooruitgang en trek je dan te-rug. Wees geen zenuwpees en weersta de verleiding om hem (behalve in de voortgangsrapporten) te vragen hoe het ermee gaat. Het heeft weinig nut

Henri in een sleutelpositie te plaatsen om dan alles wat hij doet tot in details te gaan bijregelen. Hij moet de vrije hand krijgen om alles te doen wat praktisch en doenlijk is. Als je hem het beheer geeft over de gezinskas zodat de rest van het gezin eens met vakantie kan, vit dan niet op elke uitgave en elke keuze die hij maakt. Als hij erover wil praten, luister dan oplettend en moedig hem aan. Of geef door stilzwijgen blijk van je vertrouwen in zijn mogelijkheden

Sleutel 4: Betekenis en zin van duurzaamheid
Steeds als we iets zinvols doen, geeft dat ook betekenis aan ons leven. En betekenis geeft vreugde. Alles in de schepping dient ook een doel buiten zichzelf. Elke cel in het menselijk lichaam en elke druppel water in de oceaan staat in symbiotisch verband met het grotere organisme, is een integraal deel van een groter doel en dient een hogere bestemming. Alles stijgt boven zichzelf uit.

Het schema hiernaast toont de behoeftenhiërarchie van de psycholoog Abraham Maslow. Onderaan staan de voor de overleving onontbeerlijke basisbehoeften en naarmate daaraan is voldaan, ontstaat een steeds hoger streven naar vervulling van gevoelens.

zelfverwezenlijking
naar aanleg leven
creativiteit

zelfwaardering
meesterschap
respect

erbij horen-liefde
vrienden-familie-partner-minnaar
veiligheid
zekerheid-vrijheid van angst

lichamelijke behoeften
voedsel-water-onderdak-warmte

De rangorde van behoeften

Om een gevoel van vervulling te ervaren, moeten we deel zijn van iets wat in verband staat met een groter geheel. We vallen allemaal onder de koepel van de menselijke aard – onontkoombaar, onveranderlijk en overal geldig.

Om de hoogste mate van vervulling, de zelfverwezenlijking, te bereiken, moeten we een positieve uitwerking op iemand of iets anders dan onszelf hebben. Om ons goed over onszelf te voelen, moeten we ons goed voelen over dat wat we doen.

> *Voorbeeld: Je helpt je vriendin Nyasia een beter*
> *gevoel over zichzelf te krijgen.*

Voeg iets onzelfzuchtigs toe aan het doel dat ze zich gesteld heeft. Wat dat ook is, het moet behalve haarzelf ook iemand anders voordeel brengen. Laat haar duidelijk weten dat ze anderen daarmee helpt.

Sleutel 5: Het creatieve onderdeel

In de natuur is niets gelijk aan iets anders. Zelfs eeneiige tweelingen hebben nog verschillende vingerafdrukken. Wij mensen ontlenen zo'n intense voldoening aan scheppend bezig zijn dat dit gevoel zijn gelijke niet kent. Het neemt heel onze aandacht en onze persoonlijkheid in beslag.

Heb je wel eens opgemerkt hoeveel plezier een klein kind beleeft aan het maken van een tekening? Of zelfs gewoon aan kleuren? Het is onze aandrang om uniek te zijn, aan onszelf uitdrukking te geven.

Als wij iets scheppen voelen we dat we leven. Lukraak wat doen, niet creatief zijn, kan ons doen dichtklappen. Creativiteit is putten uit de bron der inspiratie en het gevoel van onze individualiteit in de wereld uitdragen.

Voorbeeld: Flip wil zijn broer Tom helpen een beter
gevoel over zichzelf te krijgen.

Als Flip Tom ergens de vrije hand in geeft, moet hij hem ook net zo creatief laten zijn als hij zelf wil. Dus als Flip het toezicht op zijn tentoonstellingen aan zijn broer overlaat, zou hij hem ook zeggenschap moeten geven over de onderwerpen, plaats, activiteiten enzovoorts. Die verantwoordelijkheid zou geweldig bijdragen tot Toms zelfwaardering en welbevinden. Anders maakt het ook niet uit hoe goed Tom iets doet omdat hij dan niet de trots van de creatieve expressie voelt.

Nu, nu, nu

Weliswaar is 'aan het nu denken' tegenwoordig de sleutelzin in zelfhulpland, maar dat is niet in tegenspraak met ons begrip van vooruitgaan. Je van elk moment bewust zijn betekent geen stilstand; het gaat erom blij te zijn met wie je bent, waar je bent en wat je hebt. Iemand die met zijn lot gelukkig is, wil groter worden en groeien. Iemand die in de put zit en zich ellendig voelt, wil in een hol wegkruipen en sterven. Alleen door vooruit te gaan en een goed gevoel over zichzelf te hebben, kan een mens waarderen wat hij in het spreekwoordelijke nu heeft en is.

Sleutel 6: Goed, juist en waar

Men kan het goede niet op een verkeerde manier doen. Gebrek aan oprechtheid doet onze energie weglekken. Men is als een chauffeur met een voet op het gaspedaal en de andere op de rem. Een mens brandt dan op, gesloopt door zijn geweten. Als hij beseft dat hij zich niet goed voelt door wat hij zelf doet, voelt hij zich gedwongen tot zelfrechtvaardiging, wat ook weer veel energie doet weglekken. Als onze gedachten niet stroken met onze daden, zijn gevoel, lichaam en geest in strijd met elkaar.

Iemand die zelfwaardering zoekt, moet handelen naar een betrouwbare morele barometer. Anders offert hij een langdurige voldoening op voor een kortstondige beloning. En dat is nu net wat hij al te lang gedaan heeft. Om het tij te keren moet je hem zijn doel laten nastreven met integriteit, zodat hij op de lange duur wint door te doen wat juist is. Laat hem niet te kort door de bocht gaan, grijp in als hij dat wel doet. En moedig hem aan om oplossingen te vinden zonder winnaar of verliezer, zodat niemand aan het eind met lege handen staat.

> *Voorbeeld: Theresa wil haar assistente Suzanne*
> *helpen meer zelfwaardering te krijgen.*

Bij de wekelijkse besprekingen let Theresa erop dat vooruitgang niet ten koste van eerlijkheid gaat. Als Suzanne bijvoorbeeld voor de voornaamste spreker de beste prijs probeert te krijgen, moet ze niet liegen over het aantal aanwezigen. Theresa moet erop letten dat Suzanne eerlijk tegen haar is. Als ze de afgesproken verwachtingen niet waarmaakt, zou Theresa een warme en begrijpende sfeer moeten scheppen en Suzanne weer op het goede spoor zetten, zodat ze gerust en openlijk met haar praat wanneer ze weer moeilijkheden met het project heeft.

Samenvatting van de strategie

Om iemand zichzelf aardig te laten vinden, moet die het gevoel hebben dat hij in staat is het goede te doen en goed te zijn in dat wat hij wil. Dat geeft hem zelfrespect en doelmatig gedrag. Zelfwaardering volgt daaruit dan als vanzelf.

Door hem te laten toewerken naar een zinvol doel dat tastbare resultaten oplevert, geef je zijn geest het infuus van een onwankelbaar zelfrespect. Die kracht voedt zijn hang naar het leven, zijn wil om meer in zichzelf te investeren en zelfvernietigend gedrag te laten varen. Als wij het gevoel hebben iets belangrijks te doen, hebben we greep op onze wereld. Wij voelen ons dan niet langer neurotisch, een speelbal van de grillen der omstandigheden. Ons verlangen om eruit te stappen maakt plaats voor een sterke wil een stukje van de wereld te zijn.

Die psychologische strategie geeft hem wat hij tot dan toe in zijn binnenwereld niet had: onafhankelijkheid, een gevoel iets te bereiken en creatieve, positieve uitingsmogelijkheden. Naarmate zijn geest door deze onmisbare ingrediënten wordt gevoed, wordt hij steeds stabieler, zijn blik wordt breder en zijn mening en gedrag emotioneel in evenwicht. Kort en goed: hij wordt iemand die gewoonweg om zichzelf geeft. En jij hebt hem die gave van waardering voor zichzelf gegeven.

Zie voor aanvullende strategieën:
Hoofdstuk 3: Zo maak je van iedereen een moreel beter mens
Hoofdstuk 8: Eerste hulp: snel ieders stemming omdraaien
Hoofdstuk 10: Zo vernietig je zelfvernietigend gedrag
Hoofdstuk 23: Zo leer je iedereen meer achting

ZO VERNIETIG JE
ZELFVERNIETIGEND GEDRAG

Roken, drinken, ongezond leven – als je iemand wilt helpen zijn slechte gewoonten af te schudden en zijn leven weer op de rails te zetten, volg dan stap voor stap de volgende technieken. De psychologie die daarachter zit, borduurt voort op het vorige hoofdstuk.

Als we toegeven aan onze opwellingen en doen wat in ons opkomt in plaats van wat we weten dat we zouden moeten doen, voelen we ons rot. Om ons beter te voelen gaan we meer dingen doen die ons vrolijk maken – nu, maar ten koste van de toekomst. Dat wordt een neerwaartse spiraal, omdat we, als we ons niet goed over onszelf voelen, een oppervlakkige, tijdelijke vlucht in onmiddellijke voldoening zoeken. Daardoor vallen wij nog meer ten prooi aan onze opwellingen in plaats van er bovenuit te stijgen.

Als eindeloos vermaak en verstrooiing niet langer de pijn stillen, kan iemand vluchten in drank of drugs. Zo'n zelfvernietigende levensstijl is een poging om een angst tot zwijgen te brengen: de angst om het eigen leven te zien zoals het is. Het is ook een onbewuste afstraffing voor het feit dat men zich heeft laten afglijden naar de toestand waarin men zich nu bevindt.

Confrontatie?

Iemand die aan de drugs of de drank is, wordt geconfronteerd met de mensen die door zijn gedrag getroffen, benadeeld of beschadigd zijn. Familieleden, vrienden en werkgevers komen hem dan in hun eigen woorden zeggen hoe zijn gedrag hun leven negatief beïnvloed heeft. Doel is dat de betrokkene zich laat behandelen. Deze aanpak heeft soms goed gewerkt, maar in andere gevallen heeft het de verslaafde verder vervreemd van wat er nog van zijn kennissenkring over was. Als confrontatie werkt is dat prima, maar zoniet dan kan de toestand er dus zelfs nog moeilijker door worden.

Een twee eeuwen oud verhaal

Er was eens een prins die zo gestoord raakte dat hij dacht dat hij een kalkoen was. Hij kreeg een onweerstaanbare aandrang om naakt onder tafel te gaan zitten en net als een kalkoen botjes en korstjes brood op te pikken. De hofartsen hadden alle hoop opgegeven om hem van zijn gekte te genezen en de koning had verschrikkelijk veel verdriet.

Er verscheen een wijze die zei: 'Ik ga hem proberen te genezen.'

De wijze kleedde zich uit, en ging naast de prins onder de tafel zitten en begon ook botjes en brokjes brood op te pikken.

'Wie ben jij?' vroeg de prins. 'Wat kom je hier doen?'

'En jij?' vroeg de wijze. 'Wat doe jij hier?'

'Ik ben een kalkoen,' zei de prins.

'Ik ben ook een kalkoen,' antwoordde de wijze.

Zo zaten ze een hele tijd naast elkaar en uiteindelijk werden ze goede vrienden. Op een dag gaf de wijze de dienaren een teken hem zijn overhemd toe te werpen. Tot de prins zei hij: 'Waarom denk je eigenlijk dat een kalkoen geen overhemd kan dragen? Je kan best een overhemd dragen en toch een kalkoen zijn.' Daarop trokken ze allebei een overhemd aan.

Na een tijdje gaf de wijze de bedienden opnieuw een teken en ze wierpen hem een broek toe. Tot de prins zei hij: 'Waarom denk je eigenlijk dat een kalkoen geen broek zou kunnen dragen?'

Zo ging de wijze voort totdat ze allebei weer helemaal gekleed waren.

Kort daarop gaf de wijze weer een teken en hij en de prins kregen gewoon eten van de tafel voorgezet. Hij zei: 'Waarom denk je eigenlijk dat je geen kalkoen meer bent als je goed eet? Je kunt eten wat je wilt en toch een kalkoen zijn!' Daarop aten ze allebei van het eten.

Ten slotte zei de wijze: 'Waarom denk je eigenlijk dat een kalkoen onder tafel moet zitten? Een kalkoen kan net zo goed aan tafel zitten en ook overal rondlopen en daar heeft niemand wat op tegen.'

Daar dacht de prins eens over na en toen was hij het met de wijze eens. Toen hij opstond en als een mens ging rondlopen, begon hij zich ook weer als mens te gedragen.

Dit twee eeuwen oude sprookje werpt licht op bepaalde psychologische ontwikkelingen in een veranderingsproces. Zodra die ontwikkelingen ter sprake komen, komen we hier nog op terug.[*]

Volg deze verbluffend simpele strategie om iedereen zelfvernietigende gewoonten of gedrag te helpen kwijtraken.

Psychologisch element 1: Eén ding tegelijk en meer ook niet.

Als je eenmaal begint om zelfblokkerend en zelfvernietigend gedrag aan te pakken, let dan niet op andere dingen. Ga bijvoorbeeld niet proberen een drugsgebruiker ook nog van andere slechte leefgewoonten af te helpen. Kies één onderdeel waarop je vooruitgang wilt zien. Begin hem dan in een positieve richting te bewegen en laat hem zich ondertussen rondom dit succesvolle, vooruitstrevende idee een zelfbeeld vormen. Wat je hiervoor kiest wordt het best bepaald door de aard en de sterkte van jullie relatie. Als je liever langzaam begint, kies dan iets wat zachtaardig en minder bedreigend is – misschien iets wat hem een beter gevoel over zichzelf geeft. Je kunt ook recht naar het hart van de zaak gaan en meteen op het zelfvernietigende gedrag mikken dat je veranderd wilt hebben.

In het sprookje ging de wijze stap voor stap voorwaarts, terwijl hij zich

---

[*] *Verteld door rabbi Nachman uit Breslau. Vertaald door rabbi Aryeh Kaplan-ZAL. Bijdrage tot de psychologische elementen door rabbi Aryeh Leib Nivin.*

op een enkel gegeven bleef richten. Terwijl hij de prins zover bracht weer kleren te gaan dragen, zat deze nog steeds brokjes eten van de vloer op te pakken. Ondanks dat het voor de wijze best pijnlijk zal zijn geweest, hield hij zijn aandacht bij het kledingprobleem en negeerde hij de rest.

Wat de mens die je wilt veranderen verder nog doet, maakt niet uit. Jij geeft alleen bevestiging van positief gedrag en zwijgt als hij op dat of enig ander gebied tekortschiet. Wat er verder nog speelt, doet er niet toe. Concentreer je op één gebied en bouw rondom zijn vooruitgang op dat gebied een nieuw zelfbeeld op.

> *Voorbeeld: Je volwassen zoon Takiem heeft moeilijkheden om zijn drankgebruik te beperken.*

Je kan meteen Takiems alcoholmisbruik aanpakken of eerst beginnen met iets wat met zijn drinken verband houdt en gemakkelijker gecorrigeerd kan worden. Dat kan van alles zijn: van bars vermijden of zijn huis netjes houden tot op tijd op zijn werk komen. Wat je ook kiest, denk niet meer aan al het andere. Probeer op een enkel gebied vooruit te komen.

Wees in het begin soepel. Als je denkt dat hij redelijk open is, laat je hem weten dat je hem zijn leven weer op de rails wilt helpen zetten en zeg bijvoorbeeld: 'Zoon, laten we samen aan de gang gaan om het bij jou weer op orde te krijgen.' Maar als hij verhard is, is het wijs eerst een basis te creëren en de ernst van de toestand duidelijk te maken. Maak daarvoor speciaal een afspraak met hem en praat op ernstige toon. Wat je zegt is grotendeels hetzelfde als in het eerste voorbeeld, maar let erop ook door je houding aan te geven dat dingen moeten veranderen.

Psychologisch element 2: Begin de heling met een onmiddellijk succes

Waarom wilde die wijze man dat de prins begon met een overhemd aan te trekken? Het is immers veel erger zonder broek dan zonder hemd. Omdat de wijze dit diepe beginsel begreep: als je iemand wilt veranderen, begin dan met de stap die het gemakkelijkst is en de meeste kans van slagen biedt, iets wat de ander een goed gevoel over zichzelf geeft – en ga daarvandaan verder. Als je eenmaal een begin hebt, is de zaak in beweging en hoeft de ander nog maar weinig te doen om zichzelf fantastisch te gaan vinden.

Isaac Newton

Newton ontdekte dat bewegende voorwerpen willen blijven bewegen en stilstaande stil willen blijven staan. Hij had daar aan toe kunnen voegen dat ook bewegende mensen in beweging en stilstaande mensen in stilstand willen blijven. Als je iemand, door met iets gemakkelijks of leuks te beginnen, geestelijk of lichamelijk een goede kant op krijgt, roep je een positieve beweging op. Dat begin is het moeilijkst. Zoals een gezegde luidt: een reis van duizend kilometer begint met één enkele stap. Maar als je eenmaal in beweging bent, werken de wetten der natuurkunde in je voordeel.

Voorbeeld: Marcia wil haar jongere zus Vicky helpen
zich waardiger te gedragen.

Marcia wil dat Vicky ermee ophoudt de hele nacht te drinken en de hele dag te slapen, maar heeft besloten zich eerst te richten op een kleiner punt: de toestand van Vicky's flat. Als Vicky ermee instemt haar flat schoon te gaan houden, betekent dat nog niet dat zij nu de hele dag zal gaan schoonmaken, stofzuigen en afstoffen. Om te beginnen gaat ze er alleen voor zorgen dat de vuile borden zich niet langer opstapelen, vervolgens zal ze haar kleren van de vloer gaan oprapen, enzovoorts. Dat lijken misschien onbeduidende stappen, maar voor Vicky, onverschillig om zichzelf of om wat zij doet, kunnen ze haar leven veranderen.

Psychologisch element 3: Verdeel de heling in haalbare stukken

Iemand die je wilt veranderen, moet je niet overweldigen! In het sprookje van de kalkoen kostte de genezing minstens vijf stadia: overhemd aantrekken, broek gaan dragen, helemaal aangekleed zijn, gewoon voedsel eten en ten slotte aan tafel gaan zitten. Te vaak wordt de fout gemaakt te snel te veel te willen. Als er goede voortgang is, is het verleidelijk om het proces te versnellen. Maar pas dan op, want de ander kan opbranden. Het is dan nog beter de vergissing te maken te langzaam vooruit te gaan.

> *Voorbeeld: Stacy helpt haar vriend Bruce die van zijn*
> *slechte eetgewoonte af wil komen.*

Wat Bruce zich ook als einddoel heeft voorgenomen, Stacy moet het in stukjes verdelen. Eerst kan Bruce al het slechte voedsel zijn huis uit doen. Na een week kan hij de dag met een glas melk beginnen, daarna zich aan vaste eetgewoonten houden, enzovoort. Stacy moet hem stap voor stap helpen en weten dat een terugval erbij hoort. Zij moet langzaamaan doen, zodat Bruce de vreugde van zijn successen en niet de teleurstellingen van zijn falen voelt. Ze moet de verleiding weerstaan om te hard te gaan en Bruce te veel tegelijk op te leggen.

Psychologisch element 4: Consequentie en blijdschap

Het is belangrijk vol te houden en geduldig en vrolijk te blijven. Geef een verslaafde bijvoorbeeld niet het gevoel dat hij jouw project of jouw baantje is of iets waar je een hekel aan hebt maar voor je gevoel toe verplicht bent. Jullie verstandhouding en zijn geluk is wat er voor jou toe doet, dus laat dat ook uitkomen. Als dingen moeilijk gaan, laat je hem merken dat het nog steeds prettig is om bij hem te zijn, om hem in je leven te hebben. Dat geeft hem moed. Vermijd de verleiding om te gaan oordelen en bekritiseren.

Voorbeeld: Je helpt je vriendin Martha uit een
gewelddadige relatie te komen.

Glimlach als jullie bij elkaar zijn. Toon je blijdschap en zeg bijvoorbeeld: 'Dit geeft ons ook zo'n leuke kans om bij elkaar te zijn... Ik ben zo blij dat ik bij je ben en je kan helpen... Je bent zo'n bijzonder mens.' Stel voor samen iets te doen wat buiten de routine valt om Martha te laten weten dat je graag bij haar bent en niet alleen om op de hoogte te blijven of omdat je je anders schuldig zou voelen.

Psychologisch element 5: Onvoorwaardelijke liefde

Nadat de wijze man zichzelf aan de zogenaamde kalkoen gelijk gemaakt had, probeerde hij die niet te genezen. Hij bracht alleen maar al zijn tijd met hem door. Een onmisbaar deel van genezing is onvoorwaardelijke liefde of, al naar gelang het geval, simpele aanvaarding. Dat betekent: 'Ik hou van jou/geef om jou, onvoorwaardelijk en om wat je bent. Ook al verander je nooit, je bent okay.' Een relatie die erop berust dat één van beiden moet veranderen, kan nooit slagen.

Veel mensen hebben constant kritiek op degene die ze proberen te genezen. Maar dat werkt niet. De eigenliefde raakt vergiftigd en de onvoorwaardelijke liefde verwatert. Er is verschrikkelijk veel concentratie, toewijding en geduld voor nodig om ten overstaan van moeilijk gedrag van iemand te blijven houden en hem te blijven aanvaarden. Toch is dat wat de wijze man deed.

Weet wel dat geen mens zal veranderen als hij of zij niet om zichzelf geeft. Een drugsgebruiker heeft niet veel zelfrespect. Hij krijgt dat van jou en moet dat ook voelen voordat hij een goed gevoel over zichzelf krijgt en echt van zichzelf kan houden. Als je van iemand houdt, ga je hem niet schaden of benadelen en als iemand van zichzelf gaat houden, verliest zelfverwoestend gedrag zijn glans.

We kunnen niet genoeg benadrukken hoe belangrijk dit is voor de gene-zing. Zoals Albert Schweitzer zei: 'Constante vriendelijkheid kan veel be-reiken. Zoals ijs smelt in de zon, zo kunnen onbegrip, wantrouwen en vijan-digheid verdampen door vriendelijkheid.'

Het blijft in de familie

Jouw broers en zusters en je ouders kennen je door en door. Ze weten zowat alles van je. Als ze jou niet aanvaarden, achten en liefhebben, kun je – ook al ben je de betrouwbaarste mens in de wereld – eraan gaan twijfelen of je wel wat waard bent. Dat is ook precies waarom familieleden zo woedend op elkaar kunnen worden. We halen naar elkaar uit omdat we in meerdere of mindere mate van elkaars goedkeuring afhankelijk zijn.

Voorbeeld: Jeanne helpt haar man Ben om minder te gaan drinken

Hoe kan Jeanne haar onvoorwaardelijke liefde en aanvaarding laten zien? Ten eerste kan ze Ben met positieve woorden, steun en waardering aan-moedigen. Als hij in de put zit, kan zij er zijn om hem op te monteren, niet te bekritiseren. Ze kan Ben laten weten dat ze, wat hij ook doet, er voor hem is en dat dat nooit zal veranderen. Ze kan niet genoeg van die zinnen zeggen als: 'Je bent fantastisch en ik zal er altijd voor je zijn, hoe lang het ook duurt of hoe moeilijk het ook wordt. Ik ben zo trots op je voor wat je bent en niets ter wereld zal dat ooit veranderen.'

Psychologisch element 6: Gewoon aanvaarden

Heel vaak komt het voor dat je alles goed zegt en doet, maar dat het toch niet goed genoeg is. Dit is de reden: als je broer bijvoorbeeld niet voelt dat je hem aanvaardt, zal alles wat je doet door die lens gefilterd worden.

Je moet hem zeggen dat je hem vanwege zijn mening, manier van doen, waarden, loopbaan enzovoort niet lager aanslaat, maar wel van mening kunt verschillen over levensinzichten. Je respecteert hem en voelt met hem mee in de strijd die hij misschien doormaakt.

Dit is belangrijk. Als er een bepaalde kwestie tussen jullie speelt, bespreek die openlijk. Luister oplettend en met mededogen. Erken daarna dat je ziet hoe ver hij je is tegemoetgekomen en zeg hem dat je hem juist hoogacht om zijn standpunt en niet ondanks dat.

Voorbeeld: Ginger helpt haar zuster Colleen breken
met haar voorliefde voor gewelddadige mannen.

Ginger moet Colleen eraan herinneren dat ze een diep respect heeft voor wie Colleen is en hoe ze zich gedraagt. Met woorden als: 'Je weet hoe hoog ik je mening inschat en hoezeer ik op je oordeel vertrouw.' Ze moet haar zuster ook met eerlijk enthousiasme vertellen hoe prachtig ze een bepaald iets vindt wat haar zuster heeft gedaan.

Wat er gezegd wordt, hangt van de omstandigheden af. Tegen een drugsgebruiker kun je bijvoorbeeld zoiets zeggen als: 'Je moet weten dat ik het geweldig vind hoe je met zo'n moeilijke verslaving toch nog goed aan de gang blijft.' Laat hem niet denken dat je op hem neerkijkt, omdat alles wat je zegt dan als neerbuigend kan worden gezien. Door hem te laten weten dat je hem hoogacht, help je jullie op gelijke voet te plaatsen, zodat hij niet alleen een beter gevoel over zichzelf krijgt, maar ook een warmer gevoel voor jou.

Samenvatting van de strategie

Kies een enkel doel of gebied – en niet meer – waarop je denkt dat iemand vooruit kan komen. Begin hem dan in een positieve richting te bewegen en laat hem ondertussen rondom een succesvolle toekomstvoorstelling zijn zelfbeeld vormen.

Zoals het gezegde luidt: niets is zo succesvol als succes. Begin de genezing dus met een succesje.

Deel het genezingsproces op in kleine stapjes die de ander aankan. Overweldig hem niet: door teveel te snel te willen zal hij alleen maar dichtklappen.

Het is belangrijk de hele rit uit te zitten en geduldig en opgeruimd te blijven. Geef de ander niet het gevoel dat hij jouw project is of een opdracht waar je een hekel aan hebt, maar die voor je gevoel moet.

Een onmisbaar deel van genezing is onvoorwaardelijke liefde. De liefde en waardering van een ander voeden onze ziel en vullen de tank van onze gevoelens weer bij.

Iemand aanvaarden voor wat hij is brengt je niet alleen nader tot hem, maar geeft de ander ook het gevoel van veiligheid dat nodig is om te kunnen veranderen.

Zie voor aanvullende strategieën:
Hoofdstuk 8: Eerste hulp, snel ieders stemming omdraaien
Hoofdstuk 9: De gave van zelfwaardering
Hoofdstuk 11: In noodgevallen
Hoofdstuk 23: Zo leer je iedereen meer achting

IN NOODGEVALLEN

TECHNIEK VOOR NOODGEVALLEN I: TERUG NAAR DE GRONDSLAGEN

De nieuwe trend in het toerisme is eenvoud. Het publiek heeft viersterren-locaties omgewisseld voor eenvoudig eten, basisaccomodatie en veel trektochten, wandelingen en lichaamsbeweging. Sommige van deze reisprogramma's kosten een paar duizend euro per week en toch zijn ze volgeboekt. Waarom? Omdat de wereld zo jachtig wordt dat mensen dat van zich af moeten zetten en weer tot de werkelijkheid komen: eenvoudige genoegens in een eenvoudige levensstijl.

Hoewel de schrijver deze levensstijl niet ten volle wil aanbevelen, is het wel opmerkelijk dat bijvoorbeeld het percentage zelfdodingen onder de Amerikaanse Amish (die onder andere niet autorijden) maar de helft is van dat in de Verenigde Staten als geheel. Ook het percentage alcohol- of drugsmisbruik is in die groep minder dan een derde van dat van de Amerikaanse bevolking. Over de redenen kan men speculeren, maar het ontbreken van bepaalde slechte invloeden en de nadruk op een eenvoudig leven en lichamelijke arbeid moeten in de gemoedsrust van de Amish zeker een rol spelen.

In veel geslaagde hulpprogramma's, van die voor tieners in problemen tot die voor harddrugsgebruikers, is de noodzaak ingezien om zulke mensen uit hun omgeving te halen. Lichamelijke arbeid helpt hen daarbij uit hun hersenspinsels te treden en op een heel nieuwe manier weer met de wereld contact te maken.

Voorbeeld: Een grootvader helpt zijn kleindochter
Beth om van de drugs af te komen en zich van een
groep los te maken.

Als grootvader niet erg opschiet of meteen al merkt dat het moeilijk ligt, dan kan men Beth een ander onderdak verschaffen zodat ook haar geest gemakkelijker een ander onderdak kan vinden. Als men Beth weer terugbrengt naar de grondslagen en haar aan het werk zet – of dat nu grasmaaien, koken of tuinieren is – merkt zij aan den lijve dat daden tot gevolgen leiden.

Een andere mogelijkheid is om haar dienst te laten nemen in het Vredescorps, het reserveleger of een andere strakke organisatie. Zelfs met maar een paar weken van huis zijn en gestructureerd werk zal Beth al een stuk vooruitgaan.

Techniek voor noodgevallen 2: Van willen naar moeten

Een moedervogel hoeft niet te worden aangespoord om een nest te bouwen of een cursus *Efficiënte tijdsindeling voor drukke vogels* te volgen. Ze doet het gewoon. Ze gaat het bouwen van een nest niet in haar bestaande dagindeling proberen in te passen. Minpunten als besluiteloosheid of gebrek aan orde zijn helemaal niet aan de orde. Het is een kwestie van moeten, niet van willen.

Met behulp van *techniek 2* maak je wat je iemand wilt laten doen tot een moeten. Dat betekent dat hij het niet kan ontlopen door terug te vallen in de oude toestand. Alles is veranderd. Het oude vertrouwde komt niet meer terug.

Als je het zo regelt dat hij iets verliest door bij zijn gedrag te blijven, maak je een flinke kans dat hij toegeeft. Hoe vaak komt het niet voor dat een man bijtrekt nadat hem een ultimatum werd gesteld? De stimulans om iets te gaan doen, volgt vaak op het moment dat hij zijn baan of zijn vrouw dreigt te verliezen. Sommige mensen willen nu eenmaal de grenzen van hun mogelijkheden van zich afduwen totdat die terugduwen.

Maak de ander in eenvoudige en klare taal de gevolgen van zijn ongezonde, zelfverwoestende gedrag duidelijk: als hij daarbij blijft, zal hij kwijtraken wat hij heeft.

Wat mensen als vanzelfsprekend beschouwen, waarderen ze niet en zo iemand moet er dan aan herinnerd worden wat er voor hem op het spel staat. Een trouwlustige vrouw stelt aan haar vriend die zich niet wil binden een ultimatum: trouwen of het deurgat. Dat geeft de man meestal een schok en dwingt hem tot een besluit. Sommige mannen zullen voor het deurgat kiezen, maar in dat geval verliest de vrouw tenminste niet langer haar tijd. En zo leer je mensen zich te houden aan wat ze gezegd hebben.

Techniek voor noodgevallen 2 gaat dus over 'hardheid in de liefde'. Onder de juiste omstandigheden is die uiterst doeltreffend. Zoals al in het vorige hoofdstuk is uiteengezet, moet samen met andere elementen altijd onvoorwaardelijke liefde worden ingezet, maar als je die weg al gegaan bent en de mogelijkheden ervan hebt uitgeput, biedt de noodtechniek een doeltreffende aanvulling.

> *Voorbeeld: Francisca wil dat haar zoon Dan niet*
> *langer met die hangjongeren omgaat.*

Francisca dreigt Dan ermee – en dan moet ze dat dreigement zo nodig ook waarmaken – alle financiële en andere steun die hij krijgt stop te zetten. Ze heeft eerst elk ander pressiemiddel gebruikt, maar ten slotte trekt ze een grenslijn en als Dan daaroverheen gaat, onderneemt ze actie.

Francisca moet nu standvastig blijven, maar ook geduldig en monter. Onvoorwaardelijke liefde is, zoals al eerder opgemerkt, een onmisbaar onderdeel van genezing. De liefde en waardering die Francisca toont, zal het gevoel van haar zoon voeden en hem in staat stellen in een gezondere richting verder te groeien. Die moet ze hem nooit onthouden.

DEEL III

Plastische chirurgie voor de persoonlijkheid

Ontdek de psychologische beginselen waarmee je iemands persoonlijkheid, aard en karakter in een andere baan kan leiden. Verander zo'n onprettig, zelfgenoegzaam, lui, egocentrisch, in zichzelf gesloten mens in een hartelijke, vriendelijke en ontspannen levensgenieter.

Blijvend is alleen verandering
– Heraclitus (540-480 v.Chr.)

KAN JE ECHT IEMANDS PERSOONLIJKHEID VERANDEREN?

Is het jou nooit overkomen dat je eens helemaal vanuit je karakter hebt gehandeld en toen een fantastisch gevoel kreeg? Als je een bepaald 'type' bent, moet je dat niet binnenhouden, je moet het uitstralen.

Maar wij mensen zijn geneigd ons te gedragen in overeenstemming met ons zelfbeeld. Net als een elastiek kunnen we dat beeld beperkt oprekken, daarna springt het weer in zijn gewone stand terug.

Hoe verander je dat? Betere kennis is maar een deel van de oplossing. Want de kernvraag blijft: hoe zien we onszelf?

Vaak denken we dat veranderen alleen maar betekent: verstandige dingen gaan doen. Maar mensen doen niet speciaal verstandige dingen. Dieet en lichaamsbeweging zijn belangrijk, maar toch is vijfenzestig procent van de Amerikanen te zwaar. Het belangrijkste in een mensenleven is familie, maar toch kent iedereen wel een familielid dat niet met de anderen omgaat. Statistisch gezien zit je veiliger in een vliegtuig dan in een auto maar iemand die zonder erg met de auto naar zijn werk rijdt, kan bij de gedachte aan vliegen al wit wegtrekken.

De psychologische technieken in dit deel van het boek laten zien hoe je iemands persoonlijkheid snel en ingrijpend kunt veranderen door de manier te veranderen waarop hij zichzelf ziet.

Op rolletjes

Heb je ooit dat ongelooflijke gebeuren meegemaakt dat alles op rolletjes loopt, absoluut niets tegenzit, je niet te houden bent en alles wat je probeert, lukt? En dan zijn er weer andere tijden, waarin niets goed gaat, alles wat je aanraakt fout loopt en je bang bent je bed uit te komen. Wat is dat toch waardoor wij in zulke perioden meegesleept worden? Fascinerend onderzoek laat zien dat dat komt doordat we dan rondom lopende gebeurtenissen een tijdelijk zelfbeeld hebben gevormd. We zien onszelf dan als zo'n type mens en handelen dienovereenkomstig. Zelfs gebeurtenissen die schijnbaar buiten onze controle vallen, kunnen dan soms aan die wet gehoorzamen.

13

VERANDER OP ELK MOMENT IEMANDS GEDACHTEN EN STOP ZIJN HARDNEKKIGHEID

Thuis of op zijn werk is het altijd 'zijn wil of eruit' en je bent dat zat. Als je het moe bent met iemand om te gaan die de feiten niet onder ogen wil zien, kunnen de vijf psychologische technieken in dit hoofdstuk je helpen hem plooibaarder te maken en ontvankelijker voor wat je hem te zeggen hebt.

Techniek 1: Het breekijzer.

De breekijzertechniek, al genoemd in mijn boek *Never Lied to Again* (Nooit meer voorgelogen worden) helpt je iemand over de mogelijkheid van een andere mening te laten nadenken.

> *Voorbeeld: Je hebt een nieuw idee en wilt dat uitvoerig aan je vriendin Sheila uitleggen, maar zij is vastberaden daar niet naar te luisteren.*

Zeg tegen Sheila dat ze eerst jou een taak mag stellen. Ze hoeft pas naar jouw informatie te luisteren of erover te lezen en na te denken – als jij eerst iets heel moeilijks hebt volbracht. Laat haar bijvoorbeeld een getal onder de honderd opschrijven. Als jij dat getal raadt, moet zij ook doen wat jij haar gevraagd hebt. Dat zal ze best willen, omdat ze denkt dat jij dat getal toch nooit zult raden.

De psychologische kneep zit hem niet in dat raden, maar in Sheila's instemming om jou een kans te geven. Als dat je lukt, heb je het systeem waar ze in gelooft net iets verschoven – en dat is al wat nodig is. Een verschuiving van een nee naar een misschien.

Alleen iemand die diep van binnen jouw raad wel wil horen, zal tegen zo'n toets ja zeggen. Sheila is dus tot op zekere hoogte bereidwillig. Je weet nu ook dat ze geen onmogelijk type is en dat ze het systeem waar ze in gelooft zal moeten veranderen om plaats te maken voor de – verre – mogelijkheid dat wat jij haar te zeggen hebt verstandig kan zijn. Om de kans op meningsverschillen te verkleinen, zal Sheila haar denken onbewust aanpassen en zich meer openstellen.

Techniek 2: Geen gezichtsverlies

Een geestelijke dreun moet altijd als het ware worden verzacht; bij een rechtstreekse klap tegen zijn ego heeft een mens een uitlaat nodig, bijvoorbeeld om voor zichzelf (en mogelijk tegenover anderen) te rechtvaardigen waarom hij bepaalde dingen tot nu toe heeft geloofd. Hij moet een aannemelijk antwoord hebben op de vraag: waarom heb ik zo lang iets geloofd wat niet waar was?

Uit onderzoek blijkt dat dat kan als hij naar een invloed van buitenaf kan verwijzen. De emotionele pijn verdwijnt als hij zijn houding achteraf kan wijten aan iets anders dan aan een eigen verlangen.

Neem het voorbeeld van Jim die zijn hoofd kaal schoor en zijn geld, vrienden en manier van leven opgaf om bij een sekte te gaan. Achteraf vraagt hij zich af of hij daarmee de grootste stommiteit van de wereld heeft begaan of dat die sekte toch iets fantastisch is. De druk van die tweestrijd wordt meestal weggenomen via de gemakkelijkste, minst pijnlijke uitweg. Jim denkt dan maar dat zijn keuze toch wel een wijs besluit was en beidt zijn tijd en wacht tot het ruimteschip langskomt. Maar als hij indertijd met een pistool tegen zijn hoofd gedwongen was om bij de sekte te gaan, dan zou hij achteraf niet onder spanning staan, omdat er een externe oorzaak is aan te wijzen. Dan zou hij zich simpel gezegd niet verantwoordelijk voelen.

De voor de hand liggende vraag is natuurlijk: hoe geef je iemand achteraf zo'n externe oorzaak? Dat gebeurt door informatie – dat wil zeggen door Jim nieuwe kennis te verstrekken over zijn oude besluit. Als iemand in het donker een verkeerde weg is ingeslagen, zal hij zich daar niet verantwoordelijk voor achten. Bij daglicht is dat anders, maar linksaf of rechtsaf moeten kiezen in het pikkedonker is sowieso nooit een keuze geweest. Een innerlijke spanning valt dus weg als iemand de kans krijgt te bedenken dat hij met de informatie waarover hij toen beschikte het nu eenmaal niet beter had kunnen doen. Pas met de nieuwe informatie is in te zien waarom een ander besluit verstandiger geweest was.

Voorbeeld: Clark is voorstander van de doodstraf en
jij wilt dat hij daar nog eens over nadenkt.

Je zou kunnen zeggen: 'Uit DNA-onderzoek blijkt dat tot tien procent van de ter dood veroordeelden onschuldig is. Ik ken je, jij bent niet iemand om tien onschuldigen op de koop toe te nemen voor het executeren van negentig schuldigen. En zonder nieuwe technieken zou niemand dit ooit geweten hebben, jij ook niet.' Je zou daar nog aan toe kunnen voegen dat veel mensen onschuldig veroordeeld worden en dat het systeem innerlijk voos is omdat een onevenredig groot aantal arme mensen en mensen uit de minderheden veroordeeld worden.

Laten we voor het evenwicht ook eens het tegengestelde standpunt bepleiten. Je zegt dan: 'Ik begrijp waarom je zo lang tegen de doodstraf bent geweest. Maar nu laat onderzoek iets zien dat we nooit geweten hebben. Dat is dat de familieleden van slachtoffers sneller hun leven weer kunnen oppikken en helen als degene die hun geliefde gedood heeft, zelf ter dood is gebracht. En wist je dat met het geld om iemand levenslang op te sluiten gemiddeld 2,4 levens kunnen worden gered als dat geld in misdaadpreventie wordt gestoken? Dus kun je mét de doodstraf eigenlijk meer mensen het leven redden.'

Weerstand ontwijken

Je moet er rekening mee houden dat mensen met de onuitgesproken vraag zitten:'Waarom probeer jij mijn gedachten te veranderen?' De weerstandstheorie zegt dat als mensen vermoeden dat jij hun gedachten wilt veranderen, ze juist het tegendeel kunnen gaan doen van wat jij wilt. Dit probleem wordt omzeild als ze begrijpen en geloven dat je dit weliswaar wilt, maar dat je daarbij hun belang op het oog hebt en niet alleen dat van jezelf.

Techniek 3: Onderverdelen

Meningen worden meestal geuit als iets absoluuts, iets zwart-wits. 'Dat kan ik', 'Ik denk…', 'Ik houd ervan…' enzovoort. Tegen een abstracte woordenvloed, soms van elke logica of redelijkheid verstoken, is het bijna onmogelijk argumenten te plaatsen omdat je er geen greep op kunt krijgen. Om iemands gedachten te veranderen moet je hem eerst precies laten zeggen wat hij eigenlijk denkt.

Dat is precies wat doorgewinterde advocaten doen als zij getuigen van de tegenpartij ondervragen. Ze laten de getuigen hun verklaringen onderverdelen en plukken die dan uit elkaar. Neem het volgende tweegesprek tussen een eiser en de advocaat van de verweerder:

Eiser: 'Ik was een harde werker.'
Advocaat: 'Wat bedoelt u met harde werker?'
Eiser: 'Ik werkte 's avonds en in de weekeinden over.'
Advocaat: 'Elke avond en elk weekeinde?'
Eiser: 'Nou, nee. De meeste.'

Advocaat: 'Hoeveel avonden in de week?'
Eiser: 'Drie of vier.'
Advocaat: 'Altijd? Of waren er ook weken dat u niet overwerkte?'
Eiser: 'Nou, tegen de vakanties ging ik eerder naar huis.'
Advocaat: 'Dus dan deed u niet alleen geen overwerk, u ging zelfs eerder
   weg. En heeft u ook niet eens vijf ziektedagen opgenomen?'

Als die advocaat niet eerst had geprobeerd te preciseren wat de ander onder 'harde werker' verstond, had hij ook geen gaten in zijn verklaring kunnen schieten. Alleen iets wat onderverdeeld is, kun je uiteen nemen. Als iemand een standpunt neerzet, moet je proberen het in stukken te verdelen,
anders kan de redelijkheid en oprechtheid ervan nooit worden betwist. Als
je het kunt onderverdelen, kun je het ook uiteen nemen.

> *Voorbeeld: Je vriendin Regina denkt dat vitaminen*
> *niet werken en geldverspilling zijn.*

Gebruik om Regina wat ruimdenkender te maken een van de volgende vragen om een begin te maken met het onderverdelen.

'Welk bewijs zou jou ervan overtuigen dat vitamines wel werken?'
'Als iemand die jij echt hoogacht vitamines zou nemen, zou dat je van gedachte doen veranderen?'
'Als je zegt "vitamines werken niet", bedoel je daar dan alle vitamines
   mee?'
'Als je zegt "vitamines werken niet", bedoel je dan dat negentig procent
   ervan ons lichaam weer verlaat en dat alleen een klein deel ervan
   wordt opgenomen?'
'Waarom geloof je dat dat zo is?'

TECHNIEK 4: WEDERZIJDSE OVERREDING

De psycholoog Robert Cialdini kwam erachter dat als je iemands visie op een nieuw idee – bijvoorbeeld een nieuwe verkoopmethode, het testen van een nieuw recept of het proefrijden van een nieuwe auto – hebt veranderd, je dan ook zelf meer geneigd bent je visie op een van zíjn ideeën te veranderen. Als hij eerst tegenstribbelde en je hem daarna naar jouw standpunt wist over te halen, krijg je onbewust de neiging daarvoor iets terug te doen en sta je meer open voor een idee waar hij mee komt.

Welnu, in *techniek 4* ben jijzelf de eerste die van mening verandert over een standpunt van de ander. Doordat jij dat doet, staat hij weer meer open voor iets wat jij zegt. Behalve dat je hier de wet van de wederzijdse overreding gebruikt, scoor je nog een ander sterk punt: door het met hem eens te zijn, toon je dat je zijn oordeel vertrouwt en zijn inbreng waardeert. Ook dat helpt hem mee te krijgen als je vervolgens wilt dat híj zijn opvattingen herziet.

> *Voorbeeld: Je wilt dat je baas, Richard,*
> *naar je nieuwe idee luistert.*

Zeg iets in de geest van: 'Ik heb nog eens nagedacht over wat je zei over (een eerder gesprek waarin hij zijn standpunt uiteenzette) en ik ben het toch met je eens. Je hebt gelijk.' In Richards ogen word je nu geloofwaardiger, want wie zijn raad aanneemt, moet wel een verstandig mens zijn. Hij staat nu dus ook meer open voor wat jij te zeggen hebt. Leg hem een dag of wat later opnieuw jouw idee voor. Vergeet niet er een nieuw gegeven bij te doen, zodat hij het gevoel krijgt een nieuw besluit te nemen op grond van nieuwe informatie en niet simpel van gedachte te veranderen: 'Richard, kan ik je wat nieuwe statistieken laten zien die je misschien overtuigen van een nieuwe marketingstrategie?'

TECHNIEK 5: GOED, JE HEBT GELIJK, MAAR DOE HET TOCH MAAR OP MIJN MANIER

Maak van gelijk of ongelijk geen punt, maar vraag Richard het gewoon te doen uit welwillendheid. Dan krijgt hij niet het gevoel dat hij toegeeft, maar dat hij iets aardigs doet, namelijk jou een plezier doen. Dat verandert het psychologische krachtveld totaal, omdat hij nog steeds gelijk heeft maar toch doet wat jij wilt.

Terwijl je Richard van gedachte probeert te veranderen, zijn er twee hinderpalen: zijn ego en zijn verstand. Door hem nu te verzoeken om te doen wat jij wilt, terwijl hij het er niet mee eens is, houd je zijn ego buiten schot. Je zegt hem niet dat hij ongelijk heeft en dus hoeft hij ook zijn positie niet te verdedigen. Zo schakel je de poortwachter uit en nu kan Richards verstand helder en onpartijdig bedenken of Richard met jouw verzoek kan instemmen.

Voorbeeld: Jij en je man zijn het er niet over eens of je
weer betaald moet gaan werken of niet.

Geef een kort, redelijk overzicht waarom wat je man denkt jou niet verstandig lijkt; ga niet redetwisten. Zeg gewoon het volgende:

Je hebt nagedacht over wat hij wil en je waardeert zijn mening.

Je begrijpt dat hij het er niet mee eens is dat je weer gaat werken en dat hij vindt dat hijzelf gelijk heeft, maar je zou toch willen dat hij met jouw manier van denken meegaat om je ter wille te zijn. Niet omdat je hem van zijn ongelijk overtuigd hebt, maar omdat het voor jou belangrijk is om te proberen weer aan het werk te gaan.

Je houdt onverwijld en zonder discussie weer met werken op als duidelijk wordt dat het niet goed uitpakt.

Door de machtsstrijd te vermijden en niet over gelijk of ongelijk te rede-twisten, plaats je je echtgenoot in een machtspositie en dat is waar hij waar-schijnlijk naar hunkert.

Samenvatting van de strategie

Als iemand over een verzoek van jouw kant niet wil nadenken, er niet naar wil luisteren en het niet wil doen, vraag hem dan of hij het wel zou willen als je eerst een heel moeilijke en verbazingwekkende taak volbrengt. Als hij dan ja zegt, heb je het systeem waar hij in gelooft iets losser gemaakt – en dat is alles wat je nodig hebt.

Als iemands ego door een foute keuze een dreun heeft gekregen, geef je hem voor zijn fout een aannemelijke verklaring. Dat zet niet zijn ongelijk op de voorgrond maar het feit dat de informatie die hem tot zijn fout bracht, niet deugde.

Om iemands standpunt te veranderen, verdeel je dat eerst in stukken. Zo kun je gemakkelijk en nauwkeurig zijn manier van denken uiteen-rafelen.

Als je op een bepaald punt iemands raad aanneemt, zal hij op andere punten ook naar joú gaan luisteren.

In plaats van iemands arm om te draaien om hem in jouw richting mee te laten kijken, zeg je hem gewoon dat hij misschien wel gelijk heeft, maar vraag je of hij toch naar je wil luisteren.

Zie voor aanvullende strategieën:
Hoofdstuk 5: Zo help je iedereen van zijn vooroordelen af
Hoofdstuk 8: Eerste hulp: snel ieders stemming omdraaien
Hoofdstuk 9: De gave van zelfwaardering

14

ZO MAAK JE IEDEREEN
MEER ZELFBEWUST

Elly zit er al een kwartier en nog is er aan haar tafeltje geen kelner verschenen. Hoewel ze barst van de honger, wil ze geen stampij maken. Bovendien zit de krant altijd te laat en verregend in haar brievenbus, zet de buurman zijn kampeerauto altijd half op haar grasveld en heeft de kassajuffrouw van de supermarkt verkeerde prijzen aangeslagen. Maar Elly doet er niets aan.

Gebruik de volgende technieken om mensen als Elly het onwrikbare vermogen te geven op te komen voor zichzelf en voor wat zij juist vinden.

TECHNIEK 1: DE DEFINITIE VERRUIMEN

Of het goed of slecht uitvalt, allemaal hebben wij een beeld van onszelf. Daar zijn ook negatieve trekken en gedragingen bij, maar het is wat we zijn. En onszelf trouw blijven is voor ons vaak belangrijker dan onszelf verbeteren.

Verandering kan erg beangstigend zijn. Probeer dus niet met *techniek I* koste wat kost iemand te veranderen; verander liever de omschrijving van zijn zelfbeeld. Dan kan hij anders gaan handelen en zich toch blijven zien zoals hij altijd geweest is.

> *Voorbeeld: Je wilt dat je vriendin Jeanne, 'die nooit*
> *gedoe wil veroorzaken', zelfbewuster gaat optreden.*

In een restaurant kun je bijvoorbeeld zeggen: 'Omdat je verlegen bent, hoeven ze je nog niet tweederangs te behandelen. Die dienster hoeft je niet te negeren. Verlegen mensen hebben ook rechten.' Zeg Jeanne niet dat ze niet verlegen mag zijn, zeg wel dat ook verlegen mensen af en toe assertief kunnen zijn.

Ook kun je Jeanne vragen een bepaalde houding gewoon eens te proberen. Zeg haar dat ze, als ze wil, altijd weer naar haar oude ik en haar oude manier van doen kan terugkeren. Zo heeft ze de ruggesteun van een thuishonk en hoeft ze zich nooit in een emotioneel niemandsland te voelen. Ze bindt zich niet en hoeft dus ook niet bang te zijn een ander mens te worden. Om die angst weg te nemen kun je haar zeggen: 'Vraag de kelner alleen deze ene keer om de kaart en als je dat daarna nooit weer wilt, hoef je dat ook niet.'

Techniek 2: Beeld bijstellen

De grote angst van een stotteraar is de telefoon. Als die rinkelt, verkrampt hij. Hier moet je een reactie die voortkomt uit het oude zelfbeeld verbreken en een nieuw zelfbeeld vorm geven. Iemand die zichzelf nog steeds als een stotteraar ziet en aan een rinkelende telefoon slechte herinneringen koppelt, zal – ondanks intensieve therapie en ondanks het feit dat hij in sommige situaties gewoon kan praten, zodra die telefoon gaat meteen weer in het oude reactiepatroon terugglippen en verkrampen.

Om zijn zelfbeeld bij te stellen heeft de stotteraar dus een nieuwe koppeling nodig. Om die te bereiken doe je een oefening waarin de telefoon rinkelt en hij dan glimlacht. Dat is alles! Vijftig keer, en dat dan nog eens. Als bij de volgende oefening de telefoon rinkelt, glimlacht hij en loopt hij er kwiek en vol vertrouwen naar toe. Nog een paar keer later pakt hij met indrukwekkend zelfvertrouwen de hoorn op en zegt luid en glimlachend 'Hallo'.

De stotteraar heeft nu een sterk nieuw zelfbeeld. Hij hoeft ook niet te forceren om dat ontspannen, krachtige en beheerste beeld bij zichzelf op te roepen. We hebben het oude beeld zo afgezwakt dat hij automatisch het nieuwe beeld voor ogen heeft. Als nu de telefoon rinkelt, koppelt hij dat eerder aan zijn nieuwe zelfbeeld dan aan het oude.

Techniek 2 vormt ook een ankerpunt voor zelfbeheersing en voor nieuwe bindingen. Zoals je bij de volgende techniek zult zien, worden iemands prestaties sterk beïnvloed door wat hij van zichzelf verwacht.

Fobieën

Zelfbeheersing is van belang voor het omgaan met fobieën. Door het stapsgewijze verminderen van overgevoeligheid – iemand met angst voor slangen wordt bijvoorbeeld eerst een foto van een slang getoond, daarna een speelgoedslang, dan een echte slang achter glas enzovoort – neemt de zelfbeheersing toe en daarmee iemands vermogen om de toestand in de hand te houden. Die persoon leert zichzelf zien als iemand die er niet bij elke kleine stap 'tussenuit knijpt' en dus kalm bleef voor de volgende stap. Op den duur zwakt zijn fobie af.

Dit systeem van gedragsverandering is een fantastische manier om terughoudende mensen eraan te wennen zich ook buiten hun eigen veilige zone prettig te gaan voelen. Door hen steeds weer te betrekken in gedrag dat in sterk contrast staat met hun gewone manier van doen, kun je het oude zelfbeeld afzwakken en dat in hun geest door een nieuwer, meer zelfverzekerd beeld vervangen.

Voorbeeld: Je vriendin Samantha is verlegen en heeft moeite zich aan nieuwe mensen voor te stellen.

Laat Samantha zich aan jou 'voorstellen' in een veilige, niet-bedreigende omgeving. Laat haar deze zin steeds weer herhalen: 'Hoi, ik heet Samantha. Leuk je te ontmoeten.' Daarna herhaal je het, nadat ze het een paar hon-

derd keer geoefend heeft, in de echte wereld – bijvoorbeeld op een cock-
tailparty. Laat Samantha zichzelf dan gaan voorstellen aan zoveel mogelijk
mensen. Zelfs als ze in een korte tijdspanne niets anders heeft gezegd dan
het eenvoudige 'Hallo, hoe gaat het?', zal dat haar aard al veranderen.

Techniek 3: Zelfbeheersing en reacties

Hoe wij de omstandigheden (van spreken in het openbaar tot fobieën) het
hoofd bieden, hangt grotendeels af van wat we van onszelf verwachten. Simpel gezegd: als we denken dat iets ons gaat lukken, zal het ons waarschijnlijk
ook wel lukken. Zelfs als we het niet goed gedaan hebben en de positieve
reacties van anderen onoprecht waren, versterken die laatste toch nog ons
zelfvertrouwen en onze prestaties bij volgende pogingen.

Sinds onze kindertijd werd alles wat tot ons kwam gecontroleerd door
onze ouders, onderwijzers, vrienden, cultuur, godsdienst enzovoort. Ons on-
derbewuste is gevoed door miljoenen boodschappen, waarschijnlijk al vanaf dat we in de baarmoeder zaten. Hoeveel jongeren in achterstandswijken
hebben niet bij herhaling van hun ouders moeten horen: 'Zo kom je nog
eens in de gevangenis terecht'? En een heleboel kwamen inderdaad in de
gevangenis terecht. Het brein is een computer en wat je erin stopt, komt er
ook uit.

Voorbeeld: Je helpt je nichtje Marissa zelfbewuster
te worden.

Heb nooit kritiek op Marissa's slechte presteren. Haar toekomstige gedrag
en prestaties worden beïnvloed door wat ze daar zelf over denkt. En haar
geloof in haar eigen mogelijkheden hangt sterk van jouw houding af. Als
Marissa zelfvertrouwen toont, prijs haar dan steeds overdadig en los van de
prestatie zelf. En steun haar als ze tekortschiet.

Wat maakt een naam nou uit?

Hoe je iemand noemt, kan een grote invloed hebben op hoe hij zich ge-draagt. Namen als Stinky of Pinky zijn dus niet zo'n best idee. Als je wilt dat iemand een nieuwe persoonlijkheid aanneemt, moedig hem dan aan een nieuwe roepnaam of achternaam te bedenken in plaats van zijn officiële naam die hij niet dagelijks gebruikt. En laat die nieuwe naam zijn gevoel van zelfrespect tot uitdrukking brengen.

Techniek 4: Een sprong in het diepe

Gedragsverandering kan zich op twee manieren voltrekken: stap voor stap voorwaarts of met een radicale sprong. Bij belangrijke veranderingen is bij-na altijd een grote stap, een beslissende actie nodig. Bij *techniek 4* doe je dan wat je kunt om de ander in de stemming te krijgen voor die spreekwoorde-lijke sprong in het diepe. Die plons dwingt hem zijn visie te veranderen om-dat hij zichzelf nu als een heel ander mens ziet. Ook zal hij vaak merken dat de ervaring zelf niet half zo moeilijk of pijnlijk is als hij zich had voorgesteld.

Voorbeeld: Een vader wil dat zijn zoontje Jimmy met andere jongens speelt.

De vader kan bijvoorbeeld zeggen: 'Jimmy, als jij nu met die jochies gaat spelen, dan gaan we straks ergens lunchen en mag jij bestellen wat je wilt. Je hoeft die jongens niet eens leuk te vinden; gooi vijf minuten een balletje mee en dat is alles.' Dat neemt de druk van Jimmy af en geeft hem een sti-mulans. Normaal speelt een kind voor zijn plezier met anderen en dat is hier afwezig, maar doordat daar nu een waarborg voor in de plaats komt, kan Jimmy gemakkelijker de sprong in het diepe wagen. Zo wordt ook meer be-reikt dan alleen maar kortetermijnwinst. Rondom Jimmy's nieuwe, zelfbe-wuste gedrag herschept de vader stap voor stap Jimmy's zelfbeeld en maakt hij van dit gedrag een gewoonte.

TECHNIEK 5: DE WERKELIJKHEID VAN ILLUSIES

James Nesmeth, die zeven jaar als krijgsgevangene in Vietnam zat, wist geestelijk gezond te blijven door elke dag in gedachte een partij golf te spelen. Alle achttien holes. Zijn voorstellingsvermogen was zo sterk, dat de fantasiepartij ongeveer even lang duurde als een echte. Hij stelde zich de bomen en het gras van de golfbaan voor, hoe de club in zijn handen aanvoelde enzovoort. Het verbazendste is dat toen hij vrijgelaten werd en voor het eerst weer een echte partij kon spelen, zijn score van laag 90 tot laag 70 verbeterd was. De macht der verbeelding is reusachtig groot. En productief gebruikt, kan hij iemands leven ten goede keren.

> *Voorbeeld: Een lerares wil dat Henny, een van haar*
> *jonge leerlingen, zelfverzekerder wordt.*

De lerares laat het meisje zich in gedachte verschillende situaties voorstellen waarin zij zelfbewust optreedt. Bijvoorbeeld: 'Henny, stel je eens voor dat je in een snackbar bent en dat Caroline op jouw stoel is gaan zitten. Denk je in dat jij haar dan beleefd zegt dat het jouw plaats was en dat zij zich dan verontschuldigt en opstaat'. Zo kan de lerares Henny in gedachten verschillende scenario's laten afspelen waarin ze met goed gevolg voor zichzelf opkomt. Na korte tijd zal Henny zich ook zo gaan zien en met hetzelfde zelfvertrouwen gaan optreden als eerst bij het repeteren.

Samenvatting van de strategie

Help iemand zelfbewuster te worden door de omschrijving van het tegendeel te verruimen. Als hij dan iets moedigs doet, hoeft hij zijn oude zelfbeeld niet te verloochenen.

Je kunt iemands zelfbeeld ombouwen met behulp van ankerpunten en prikkels. Door zijn reacties op bepaalde prikkels te veranderen, verandert zijn zelfbeeld mee.

Hoe iemand op omstandigheden reageert, hangt grotendeels van zijn eigen prestatieverwachting af. Die hangt weer vooral af van de steun die hij van anderen krijgt. Wees positief en moedig hem bij zijn pogingen aan.

Geef iemand een beloning – steekpenningen – om hem te activeren. Op den duur zal hij ook zelfbewust optreden als die prikkel niet meer gegeven wordt.

Gebruik de macht der fantasie om niet alleen iemands denken maar ook zijn handelen te veranderen.

Zie voor aanvullende strategieën:
Hoofdstuk 15: Zo maak je van een luiwammes een eerzuchtige doorzetter
Hoofdstuk 18: Zo maak je van een muurbloempje een vlinder

ZO MAAK JE VAN EEN LUIWAMMES EEN EERZUCHTIGE DOORZETTER

Ze zit de hele dag maar op de bank en kijkt tv. Ze lijkt geen enkel doel of verlangen te hebben om wat dan ook te doen. Ze heeft hersens, maar is volkomen willoos. Soms is ze wel eens uit die sleur uitgebroken maar nooit voor langere tijd. Als hier iemand beschreven wordt die je kent, gebruik dan de volgende technieken om van die luiwammes een doorzetter te maken.

Slaaaaaptijd!

Met de kracht van woorden kun je iemands gedrag sterk beïnvloeden. Uit een onderzoek bleek dat deelnemers die eerst oudemensenwoorden als oud, grijs of bingo hadden aangehoord, daarna vijftien procent langzamer liepen dan degenen die neutrale woorden te horen hadden gekregen. Kruid je conversatie dus met woorden als hartstochtelijk, opwindend, bezield en dergelijke en je roept activiteit op!

TECHNIEK 1: STRUCTUUR EN RICHTING

Al te veel keus kan verlammend werken. Niemand vindt het leuk om te merken dat hij fout zit en achteraf te weten wat hij eigenlijk had moeten kiezen. Minder keuze maakt dus dat we sneller een besluit nemen en er later denkelijk minder op terugkijken.

Kinderen die zonder zin voor structuur opgroeien hebben vaak grote moeilijkheden om hun leven als volwassenen op orde te brengen. Gebrek aan structuur bevrijdt niet, het verlamt. Structuur geeft ons een raamwerk om daarbinnen te bewegen, hopelijk in een zinvolle richting. Je kent wel het gezegde: als je wilt dat iets gedaan wordt, geef het aan een drukbezet mens. Waarom? Omdat drukbezette mensen van opschieten weten.

Iedere belangrijke godsdienst schrijft een gedragscode voor met dingen die wel en die niet kunnen. Dat wijst erop dat mensen voor hun welzijn beperkingen en grenzen nodig hebben. Wie zijn leven niet op orde heeft, heeft die structuur het meest nodig van al. Het joodse gebedsboek heet in het Hebreeuws 'siddoer', wat ordening betekent.

Ongediplomeerde genieën die rondhangen en nietsdoen zijn er meer dan genoeg. Deze talentvolle lieden komen of na twaalf ambachten in dertien ongelukken terecht of blijven verlamd door de angst een bepaalde kant te moeten kiezen. Zulke mensen hebben eigenlijk gevoelsmatige oogkleppen nodig om op elk moment eenzelfde kant op te blijven kijken.

Voorbeeld: Margriet wil dat haar zoon Micah een bekend kunstenaar wordt.

Margriet moet Micah helpen zich niet overweldigd te voelen. Zijn levensdoel zou in maanden, weken en dagen onderverdeeld moeten worden. Op zijn dagelijkse boodschappenlijstje moet minstens één ding staan dat absoluut niet wachten kan. Pas als Micah dat gedaan heeft, kan hij naar de andere punten kijken.

Ook moet Margriet hem helpen tot een dagindeling te komen die zijn leven een soort regelmaat geeft. Die moet vooral niet star en moeilijk zijn, maar structuur geven en toch ook ruimte laten. In het ideale geval met een vaste tijd waarop hij dingen doet waar hij niet van houdt maar die nodig zijn

– zo vroeg mogelijk in de dag. Dat geeft hem een goed gevoel, omdat hij die taken nu achter zich heeft en dan voor de rest van de dag in een goede stemming is.

TECHNIEK 2: EEN TIJDSLIMIET AFDWINGEN

Ergens een tijdslimiet voor vaststellen heeft twee belangrijke psychologische redenen. Ten eerste groeit of krimpt een taak altijd naar gelang de tijd die we ervoor overhebben. De wereld draait om tijdslimieten en uiterste data. Zonder een onmiddellijke noodzaak om aan de gang te gaan, doen de meeste mensen dat ook niet. Het ligt in de menselijke aard om dingen uit te stellen tot omstandigheden gunstiger zijn, tot we meer informatie hebben of tot we meer in de stemming zijn. Ten tweede willen we niet in onze vrijheid beperkt worden. Zodra we horen dat we iets niet kunnen krijgen – of doen – gaan we er vaak juist meer naar verlangen. Als je iemand laat weten dat iets in de toekomst niet mogelijk is, prikkel je hem of haar dus om het dan maar nu te doen.

Wees bij het toepassen van deze regel vindingrijk. Geef de ander bijvoorbeeld een tijdslimiet of uiterste datum of zeg dat hij voor dezelfde kans een concurrent heeft of dat een aanbod op een bepaalde tijd zal worden ingetrokken. Probeer van alles, van hem eraan herinneren dat het beste moment van handelen voorbijglipt tot achter de schermen zelf de beschikbare tijd verkorten – en zie hem dan van de bank afspringen.

Voorbeeld: Een architectenbureau wil dat de
aannemer ophoudt met traineren, een besluit neemt
over het bouwplan en met de bouw begint.

Om deze techniek toe te passen zou het bureau de aannemers kunnen berichten dat tenzij ze per bepaalde datum een besluit genomen hebben, ze met een andere firma in zee moeten gaan: 'George, je weet hoe graag we met jou werken, dus kom tegen de vijfde langs. Anders moet het een jaar of twee duren voor we samen op dit project kunnen staan.' Tussen haakjes, als George nu uiteindelijk zegt dat hij er niet mee doorgaat, heeft het bureau zichzelf een hoop tijd, geld en koppijn bespaard.

TECHNIEK 3: DE MACHT DER HERINNERING

Uit fascinerend onderzoek blijkt dat het zelfbeeld van mensen vaak voort-vloeit uit het gemak waarmee ze zich bepaalde gegevens voor de geest kun-nen halen. Als jou bijvoorbeeld gevraagd werd aan een paar gebeurtenissen te denken waarin je met ambitie handelde en je kon die vrij gemakkelijk noemen, dan zou je jezelf als een ambitieus mens zien. Als je daarentegen met geen enkel voorbeeld op de proppen kon komen, zou je jezelf voor-zichtig en behoudend vinden.

Natuurlijk valt daarop te zeggen dat bijvoorbeeld een bepaalde vrouw niet zulke voorbeelden kan noemen omdat zij gewoon niet zo is. Toch laat onderzoek zien dat zelfs bij iemand die nauwelijks dergelijke herinneringen heeft – zoals die vrouw – het vermogen om zich die voor de geest te halen kan worden geoefend, waardoor die persoon zichzelf toch meer als eer-zuchtig gaat beschouwen.

Voorbeeld: Harry helpt zijn broer Ken
eerzuchtiger te worden

Harry vraagt Ken om zich een paar keer per dag momenten uit het verleden voor de geest te halen waarin hij eerzuchtig handelde. Zo kan Ken zich die gemakkelijker herinneren en daaromheen zijn zelfbeeld vormen. Harry kan zoiets zeggen als: 'Zeg Ken, wat was de laatste keer dat je iets echt eer-zuchtigs gedaan hebt? Goeie genade, je boekte een reis naar Italië en gaf je-zelf zes weken om de taal te leren? Prima. Wat nog meer? Je liep gewoon er-gens naar binnen waar ze mensen vroegen en solliciteerde? Geweldig. Hoe voelde dat? En weet je nog iets uit de tijd daarvoor? En dáárvoor?' Vervolgens krijgt Ken de opdracht zich die momenten een paar keer per dag levendig voor de geest te halen. Als de weken en maanden verstrijken, zullen nieuwere en levendigere voorbeelden de plaats van de vorige innemen.

TECHNIEK 4: EEN HEEL SMALLE BRUG

Als we iets echt willen bereiken, gaan we ervoor en hebben we er heel wat pijn en opofferingen voor over. Door de kracht van de psychologie kunnen we iemands visie beïnvloeden, zijn verlangen vergroten en zijn wilskracht versterken.

Het ligt in de menselijke aard om dat te willen wat wij niet kunnen krijgen en meer te willen van dat waar we ons voor moeten inspannen. Als iemand een minder ruime keuze heeft, beperkt dat niet alleen zijn mogelijkheden en tijd: hij krijgt ook minder kijk op wat er daarna nog zal overblijven en hecht dan een groter belang aan wat er nu nog is. Iemand die een paar banen aangeboden heeft gekregen, zal elke aanbieding onbewogen gaan zitten beoordelen. Maar iemand die al een jaar of twee werkloos is en een stapel rekeningen op de keukentafel heeft liggen, zal, als hij eindelijk eens voor een gesprek wordt opgeroepen, dat steeds weer door zijn gedachten laten gaan, er onafgebroken aan denken en bij elk papiertje stilstaan, vol van angst dat hij de baan niet krijgt. Hij is ervan bezeten, alleen omdat zijn keuzes zo beperkt zijn. De kans om de baan te krijgen is dezelfde maar zijn gezichtshoek dwingt hem tot minder vertrouwen en meer bezorgdheid.

Het versmallen van hun mogelijkheden dwingt mensen om dat wat hun nog overblijft onder een sterk vergrootglas te leggen. Er ontstaat een scheef perspectief en daardoor sprinten ze naar dat wat er nog over is.

Voorbeeld: Judith is een talentenscout en wil dat
haar cliënt Joey een rol aanneemt waar die
niet veel voor voelt.

Judith kan bijvoorbeeld zeggen: 'Weet je, Joey, als je die rol niet neemt, zal dat gezelschap je geen andere aanbieden. Je ziet hier misschien niets in, maar het is de enige manier om straks betere rollen te krijgen.' Nu kan Joey niet simpel kiezen tussen de rol nemen of niet; hij moet kiezen tussen de rol nemen of geen toekomst meer hebben in zijn beroep. Dat is een andere keuze, die een heel nieuwe houding oproept. Judith zou ook kunnen zeggen: 'Deze rol kan je doorbraak worden. Zo'n rol als deze krijg je één keer in een loopbaan aangeboden. Ik weet dat je er nog eens over wilt nadenken, maar ik hoop voor jou dat als je je besluit neemt, de aanbieding er nog ligt.'

Techniek 5: Levensvreugde

Iemands gebrek aan eerzucht kan in feite een gebrek zijn aan emotie voor hoe hij zijn dag doorbrengt. Soms doet iemand niets omdat het hem niet kan schelen waar hij uitkomt. Help hem dan na te gaan wat zijn voorkeuren en levensdoelen zijn. Als hij eerlijk tegen zichzelf is, kan hij eerlijker en oprechter vooruitkomen.

Als iemand ongericht of lui schijnt, kan hij in werkelijkheid ongeïnspireerd zijn. Wat hij nodig heeft, is plezier in wat hij doet, zodat de vreugde van het doen groter wordt dan de vreugde van het nietsdoen.

Voorbeeld: Een vader wil dat zijn 25-jaar oude zoon
een baan zoekt en het ouderlijk huis uitgaat.

De vader zou zijn zoon moeten vragen wat die graag doet en waar hij goed in is. Ergens daartussen zal die zoon iets vinden wat hem echt aanspreekt. Als hij bijvoorbeeld graag met computers en computerspelletjes bezig is, zal hij misschien codes voor computerspellen willen gaan schrijven. Of als hij graag met mensen bezig is en muzikaal is, zou hij aankomende jonge musici les kunnen geven.

Zodra de zoon duidelijk weet wat hij wil, zou de vader hem heel geleidelijk die richting op moeten bewegen. De vader zal dan merken dat de zoon, zodra hij op gang begint te komen, ook op andere gebieden van zijn leven in beweging komt en dingen bereikt die hij eerder genegeerd heeft of waar hij maar tegenaan bleef kijken. Als de vader het kan, moet hij zijn zoon helpen op elke manier waarmee hij hem in deze positieve richting kan bewegen.

Techniek 6: Kleren maken de man

Waar we om geven, zorgen we ook voor. Een interessant psychologisch verschijnsel is dat we iets of iemand alleen maar door hem beter te behandelen meteen ook aardiger gaan vinden. In het vader-zoon voorbeeld zou de vader zijn zoon dus moeten aanmoedigen om zichzelf met meer respect te behandelen. Daardoor zal, meestal onbewust, zijn zelfwaardering toenemen en daardoor weer zijn verlangen iets met zichzelf en zijn leven te doen. Zodra we onze tijd, energie en aandacht in iets investeren, krijgen we er meer liefdevolle gevoelens voor.

Uiterlijk

Heb je nooit opgemerkt dat je stemming verandert al naar gelang de kleren die je draagt? Ook uit tal van studies blijkt dat kleding onze houding en gedrag belangrijk kan beïnvloeden. Uit een proef met een 'schijngevangenis' bleek dat mannen in bewaardersuniform agressiever werden, terwijl mannen in gevangeniskleding, die gevangenen speelden, passiever en teruggetrokkener werden (Haney c.s., 1973). Vrijdagen op het kantoor in weekendkledij, wat een paar jaar geleden nog de grote rage was, zijn nu door veel firma's afgeschaft, omdat bleek dat de arbeidsproductiviteit eronder te lijden had. Kleding is meer dan alleen een weerspiegeling van wat we zijn, het heeft ook invloed op wat we zijn.

Leefomgeving

Wie zijn eigen spullen en omgeving niet met respect behandelt, geeft de boodschap af: 'Het kan me niet schelen hoe ik leef'. Wie bepaalde dingen of personen als waardeloos behandelt, gaat die dingen of personen ook als waardeloos zien. Vergeet nooit dat respect en liefde hand in hand gaan, en dat geldt voor dingen net zo goed als voor mensen. Iemand zijn leefomgeving laten verzorgen is een goede manier om hem ook voor zichzelf te laten zorgen.

Voorbeeld: Als therapeut wil je dat je patiënt Pedro
eerzuchtiger wordt.

Je zou Pedro moeten aanmoedigen zich netjes, schoon en passend te kleden. Zeg hem zijn kleerkast eens na te kijken en wat hij niet meer draagt weg te geven. Help hem kleren te dragen die bij elkaar passen of vertel hem iets over mode: dat kan zijn interesse op gang brengen.

Begrijp alsjeblieft dat we het niet hebben over uiterlijk omwille van het uiterlijk. We hebben het over iemand die zich op een waardige manier presenteert, waarbij het uiterlijk een innerlijk gevoel van zelfvertrouwen en eigenwaarde weerspiegelt.

Moedig Pedro ook aan zijn woning schoon en netjes te houden. Laat hem zo veel mogelijk orde scheppen en de dingen die hij niet gebruikt opbergen of weggooien.

Samenvatting van de strategie

Geen structuur en een te ruime keuze kunnen een mens verlammen. Om zich daardoor niet overweldigd te voelen, zou hij steeds allereerst moeten beslissen welk ene ding vandaag absoluut gedaan moet worden en dan daar zijn energie op moeten richten.

Elke taak zal uitdijen of inkrimpen naar gelang de tijd die we ervoor hebben. Als een bepaalde keuze niet onmiddellijk gemaakt hoeft te worden, zullen de meeste mensen dat ook niet doen. Probeer hen dan te doen inzien dat hun keuzemogelijkheden niet altijd blijven bestaan.

Vraag de ander om een paar keer per dag – in gedachten, hardop, op papier – voor zichzelf de keren door te nemen dat hij heeft gehandeld vanuit ambitie. Zo komt die terug en kan hij daaromheen zijn zelfbeeld vormen.

Door iemands perspectief te vernauwen maak je de belangrijkheid van wat er overblijft kunstmatig groter. Nu andere mogelijkheden zijn weggevallen, wordt zijn verlangen naar wat overblijft reuzegroot.

Een mens moet enthousiast zijn over wat hij in zijn leven wil gaan doen. Zorg ervoor dat dat niet door bepaalde levensopvattingen wordt afgeremd.

Door iemand te helpen zijn uiterlijk en woonomgeving te verbeteren, help je hem aan een groter gevoel van zelfrespect. Daardoor is hij meer geneigd in de toekomst en zichzelf te investeren.

Zie voor aanvullende strategieën:
Hoofdstuk 8: Eerste hulp: snel ieders stemming omdraaien
Hoofdstuk 9: De gave van zelfwaardering
Hoofdstuk 18: Zo maak je van een muurbloempje een vlinder
Hoofdstuk 26: Maak iedereen meer geïnteresseerd in alles

16

ALLE KLETSKOUSEN
STOPPEN

Anna doet niets liever dan onder haar buren en bekenden nieuwtjes verspreiden. Daar pakt ze weer de telefoon om iemand het 'laatste nieuws' te vertellen en wat is ze verrukt als zich de gelegenheid voordoet wat 'vuiligheid' mede te delen – die kans laat ze nooit lopen.

Roddelen is trouwens een tijdverdrijf waar de meesten zich wel af en toe aan bezondigen, maar sommige mensen gedijen erop. Anna leeft ervoor en wel om een of meer van de volgende redenen: (1) andermans wandaden geven haar een beter gevoel over haar eigen gedrag; (2) door over het leven van anderen te praten, hoeft zij haar eigen perikelen niet onder ogen te zien; (3) roddelen geeft haar een gevoel van macht. Ze weet iets wat niemand anders weet. Anderen zullen haar benaderen voor informatie en dat geeft haar een gevoel van aanzien en belangrijkheid.

Die redenen daargelaten kun je aan ieders geroddel een eind maken door de volgende psychologische strategie:

Techniek 1: Laat het ego los

Je gaat Anna's voorstelling van controle en macht veranderen. Als Anna gaat begrijpen dat juist iemand die een geheim kan bewaren aardig gevonden en gerespecteerd wordt en dat niemand gesteld is op een mens dat haar mond niet kan houden, treedt er een boemerangeffect op. Dezelfde kracht die Anna tot roddelen bracht wordt nu de kracht die haar ertoe beweegt het te stoppen.

Anna roddelt omdat ze denkt dat het haar achting en bewondering oplevert. Maar als ze ontdekt dat datgene wat ze wil juist verkregen wordt
door niet te roddelen, zal ze wel van koers veranderen.

> *Voorbeeld: Je wilt dat je assistente Samantha haar ge-
> ruchten voor zich houdt.*

Jij, en iedereen die je in dienst hebt willen nemen, moet daarover open zijn
en dingen zeggen als: 'Barbara is fantastisch want zij weet hoe ze iets voor
zich moet houden. Weet je wat zo goed van haar is: als er iemand over een
ander kwaadspreekt, gaat ze meteen op een ander onderwerp over. Ze doet
nooit mee met kletspraat. Ik weet dat ik haar in alles kan vertrouwen. Ze is
fantastisch.' Nu wil Samantha ook fantastisch zijn. Dus gaat ze Barbara na-
doen om ook zulk soort lofprijzingen te verdienen en zal ze haar roddelge-
woonten laten varen.

Techniek 2: Innerlijke verschuiving

Onderzoek toont aan dat als Samantha met woorden jouw visie heeft be-
aamd, ze voor haar gevoel moeilijk iets anders kan gaan doen. Zoals al gezegd voelen mensen zich gedwongen hun denken en doen in een lijn te
brengen. Zodra Samantha zich geringschattend over roddelen heeft uitge-
laten, ontstaat er een onbewuste 'blokkade' tegen roddelen.

> *Voorbeeld: Dina wil het geklets van haar schoon-
> moeder indammen.*

Dina kan bijvoorbeeld zeggen: 'Denkt u niet dat iemand het waardeert als
er niet over haar gepraat wordt? Denkt u niet dat mensen alleen maar roddelen om zichzelf belangrijker te voelen?' De schoonmoeder zal dan tot een
soort overeenstemming willen komen en zich daaraan houden. Dit werkt,

omdat mensen een drang hebben te handelen naar wat ze eerder gezegd hebben. Zodra Dina's schoonmoeder zegt het met Dina eens te zijn, kan ze daar nog maar moeilijk van afwijken.

Techniek 3: Wil het echte verhaal alsjeblieft opstaan?

Als we begrijpen waarom iemand roddelt, zien we ook dat zijn geloofwaardigheid – de mogelijkheid om voor interessante en ware feitjes gehoor te vinden – daarbij onmisbaar is. Dus als je hem een hoop gekke, onware verhalen 'aanlevert', zal hij niet weten wat te geloven en als hij ze zou gaan voortvertellen, wordt hij ten slotte net zo interessant als de krant die bericht dat een filmster een kip met twee koppen heeft gebaard.

Techniek 3 werkt als een virusinfectie. Zodra de tekst bij iemand binnenkomt, wordt hij door de persoon zelf verspreid en met elk woord doet hij meer schade aan zijn reputatie. Natuurlijk wil je zelf niet schuldig zijn aan geroddel, vertel hem dus geruchten die duidelijk onzinnig zijn – maar niet over enig bepaald persoon.

*Voorbeeld: Nora wil dat haar collega Nick ophoudt
met over haar te roddelen.*

Elke ochtend zou Nora dingen moeten zeggen als: 'Nick, heb je gehoord dat er gisteren een vent in een gorillapak in het gebouw heeft ingebroken?' en 'Nick, ik heb net uitgevist dat onze firma wordt overgenomen door Chinezen en iedereen die binnen een half jaar geen Chinees spreekt, vliegt eruit,' of 'Nick, ik heb gehoord dat we om geld uit te sparen met de helft van de lampen uit gaan werken.' Deze techniek werkt goed omdat Nick, zelfs als hij de verhalen niet gelooft, doorkrijgt hoe mallotig het is om wat voor geruchten dan ook te verbreiden.

Techniek 4: Zelf ervaren hoe het is

Techniek 4 geeft een kletskous een koekje van eigen deeg. Jij, en iemand anders die je mee wilt laten doen, zeggen hem dat je iets over hem gehoord hebt. Maar jullie vertellen het niet door want dat is slecht.

Iemand die over anderen kletst heeft er vaak niet echt bij nagedacht wat voor schade hij daarmee kan aanrichten. Deze techniek helpt iemand om die schade aan den lijve te ondervinden. Maar er zit nog een kneep in deze techniek, waardoor hij op drie punten werkt, zoals uit het volgende blijkt.

> *Voorbeeld: Een stuk of wat meisjes, in een zomer-*
> *kamp, willen dat Terri ophoudt met roddelen.*

Een of meer van de meisjes zouden bijvoorbeeld moeten zeggen: 'Terri, je moet weten dat ik iets over je gehoord heb, maar wees maar niet bang dat ik dat ooit tegen een ander ga zeggen.' Nu is Terri natuurlijk nieuwsgierig naar twee dingen: waar de meisjes het gerucht gehoord hebben en wat het is. Het antwoord luidt: 'Ik weet echt niet meer van wie ik het hoorde – maar het was dat mensen denken dat jij de grootste roddelaarster op aarde bent.' Dit geeft Terri drie impulsen om haar manier van doen te veranderen.

Ten eerste kan ze het gerucht dat ze roddelt niet ontkennen; ten tweede geeft het haar een rotgevoel dat mensen over haar praten en zo begrijpt ze ook de pijn die ze anderen doet; en ten derde zal ze, om het geroddel van anderen te stoppen, er ook zelf mee moeten ophouden.

Samenvatting van de strategie

Geef iemand een heel nieuwe visie op wat controle en macht betekenen. Als hij begrijpt dat juist iemand die een geheim kan bewaren aardig gevonden en gerespecteerd wordt en dat geen mens geeft om iemand die zijn mond niet kan houden, zal dat als een boemerang werken.

Als je iemand ertoe kunt brengen zich openlijk achter een nieuw standpunt te stellen, dan zal het hem moeilijk vallen zich daar niet aan te houden.

Breng absurde geruchten in het roddelcircuit, dan zal een roddelaar niet weten wat waar is en wat niet. Ten slotte zal hij het roddelspel moe worden en bij het doorvertellen trouwens niet meer serieus genomen worden.

Wie de schoen past, trekke hem aan: laat de ander weten dat je een gerucht over hem gehoord hebt – namelijk dat hij te veel kletst. Dat zal een krachtige impuls zijn om te stoppen.

Zie voor aanvullende strategieën:
Hoofdstuk 3: Zo maak je van iedereen een moreel beter mens
Hoofdstuk 5: Zo help je iedereen van zijn vooroordelen af
Hoofdstuk 9: De gave van zelfwaardering

17

ZO MAAK JE IEDEREEN
MEER OPEN EN EXPRESSIEF

Hij vertelt nooit iets over zichzelf, hij praat nauwelijks. Op vragen geeft hij eenlettergrepige antwoorden, soms gromt hij alleen maar wat. Goed is wel dat zo iemand zich voor je kan gaan openen als je een bepaalde psychologische strategie volgt, zoals hieronder uiteengezet.

TECHNIEK 1: WEES SLIM

Stel dat je broer heel gesloten is. Om hem aan het praten te krijgen, moet je het volmaakte klankbord worden. Dat betekent dat je moet:

praten over iets waar hij aan denkt en waar hij belang in stelt;
luisteren met volle aandacht;
vragen en blijven vragen;
tonen dat je geboeid en oprecht enthousiast bent.

Als je hem eenmaal aan de praat hebt gekregen over dat wat hem interesseert, is het ook gemakkelijker het gesprek een andere kant op te sturen naar een onderwerp waar jij het over hebben wilt. Maar laat je broer eerst oefenen om open te worden op een gebied waar hij in thuis is. Moedig hem aan door actief mee te praten over dat wat hij te zeggen heeft. Als hij voelde dat je niet naar hem luistert en je verveelt, zal hij meteen dichtklappen.

Niemand wil klare wijn schenken in een lekkend melkkarton. Het doet mensen goed zich te openen en hun gevoelens uit te spreken, maar ze moeten er wel van overtuigd zijn dat je hun confidenties voor je zult houden en niet aan anderen doorbabbelt. Niemand wil om zijn gevoelens door anderen bekletst of negatief beoordeeld worden.

Voorbeeld: Paulette wil dat haar vriend Malik openhartiger over zijn gevoelens praat.

Als ze allebei in een redelijk goede stemming verkeren en een hoop tijd hebben, zou Paulette het gesprek kunnen openen door Malik te vragen naar zijn liefhebberij of zijn gedachten over politiek en dergelijke. 'Vertel nog eens je theorie over het broeikaseffect. Die is zo interessant. Heb je wel eens gedacht om die in te sturen aan een wetenschappelijk tijdschrift? Echt?...'

Hogere wiskunde is dit idee dus niet. We vinden iemand vaak ten onrechte zwijgzaam, terwijl hij alleen maar geen belangstelling voor ons heeft. Heb dus belangstelling voor hem en je helpt de poorten van het gesprek open te gooien. Luister naar hem met volle en volledige aandacht. Begin geen gesprek als hij zijn hoofd net bij iets anders heeft. Als hij er door zachte aanmoediging eenmaal aan gewend is zijn gedachten te uiten, zal hij dat ook meer vanuit zichzelf, gemakkelijker en vaker doen.

Techniek 2: Angst zoekt gezelschap

Onderzoek van de psycholoog Stanley Schacter toont aan dat iemand gezelschap zoekt als hij ergens bang of benauwd voor is. In deze proef liet Schacter twee groepen vrouwen naar zijn onderzoekslaboratorium komen. De ene groep werd ontvangen door een bangige man in witte laboratoriumjas die hun vertelde dat ze elektrische schokken zouden krijgen om het effect daarvan op het menselijk lichaam na te gaan. De schokken waren pijnlijk maar zouden geen blijvende schade aanrichten.

De andere groep werd ontvangen door een warm glimlachende arts die zei dat de schokken alleen een tintelend, misschien wel prettig gevoel teweegbrachten. Daarop kregen de vrouwen uit beide groepen de keuze om, terwijl de proef werd voorbereid, alleen in een kamertje te wachten of met een aantal anderen in een grote wachtkamer. Elke groep telde tweeëndertig deelneemsters. Van degenen in de bang gemaakte groep verkoos tweederde om met anderen samen te wachten, terwijl van de minder bange groep de meesten liever alleen wilden wachten.

> *Voorbeeld: Ursula wil dat haar vriendin Pam haar*
> *meer vertelt over de moeilijkheden met haar vriend.*

Als Ursula's vriendin op de uitslag van een toets of van een sollicitatiegesprek zit te wachten, zal ze het meest in de stemming zijn voor een gesprek en steun. Voor Ursula is dat het ideale moment om haar vriendin aan de praat te krijgen.

TECHNIEK 3: WAT TERUGTREDEN

Dat iemand in geen enkele van zijn betrekkingen open is, komt weinig voor en als het gebeurt, wordt het door de ander vaak zelf in de hand gewerkt. Dat komt doordat relaties hun eigen praatevenwicht zoeken. Duw de ander dus niet voortdurend in de hoek van de luisteraar, geef elkaar de kans beide rollen te vervullen en maak op die manier de ander spraakzamer en jezelf meer bereid tot luisteren.

> *Voorbeeld: Je wilt dat je zus met jou bespreekt hoe ze*
> *de scheiding van jullie ouders ervaart.*

Als zij niet genoeg praat, praat jijzelf misschien wel te veel. Probeer wat je zelf zegt te beperken, maar niet op een kwaaie toon ('Als jij niet met mij praat, praat ik ook niet met jou.'). Wees vriendelijk en hoffelijk, maar houd geen lange verhalen over jezelf en je interesses.

TECHNIEK 4: BEDOEL JE MIJ?

Een al in 1927 in Harvard begonnen onderzoek, dat naar een fabriek van de Western Electric Company genoemd is, heeft geleid tot wat bekend werd als het Hawthorne-effect. Een van de bedoelingen was om na te gaan of betere verlichting tot hogere arbeidsproductiviteit zou leiden. Tot ieders verbazing steeg die productiviteit zowel bij betere als bij slechtere verlichting. Hoe kwam dat? Doordat de arbeiders blij waren aandacht te krijgen. Of de eigenlijke arbeidsomstandigheden gunstig of ongunstig waren, leek niet zoveel uit te maken.

Een klein meisje dat zich aanstelt om aandacht te krijgen, kan het niet eens zoveel schelen of ze een positieve of een negatieve reactie oproept. Ze wil alleen maar dat iemand haar belangrijk genoeg vindt om te reageren. Daarom zeggen opvoedingsdeskundigen dat zo'n kind meer tijd bij haar ouders moet doorbrengen om een persoonlijke band te krijgen en geestelijk te groeien; het laatste wat ze nodig heeft is dat er tegen haar geschreeuwd wordt. De psychologische strategie bestaat nu daaruit om jouw klachten over iemands gebrek aan expressie op de tweede plaats te stellen, na jouw investering in de persoon en jullie verstandhouding, welke die ook is.

Doe vooral je best om een goede vriend of vriendin, ouder, echtgenoot enzovoort te zijn en het is goed mogelijk dat de ander dan vanzelf meer open en expressief wordt.

Voorbeeld: Mark wil het contact met zijn dochter
Rebecca verbeteren.

Mark weerstaat de verleiding om te straffen of te kritiseren. In plaats daarvan gaat hij na waar Rebecca's belangstelling ligt en verdiept hij zich daarin. Als zij van gedichten houdt, haalt hij een paar bundels uit de bibliotheek en hij kan misschien met haar naar een poëzielezing gaan. Door de tijd te nemen zich in Rebecca's liefhebberijen in te werken, toont Mark belangstelling voor haar als persoon en niet als een ouder die zijn taak als opvoeder vervult. Voor elke relatie geldt dat als je in iemands leven investeert, je er een deel van wordt en dat diens verlangen zich te uiten daardoor veel groter wordt.

TECHNIEK 5: HET KANTOOR

Als onderdeel van een opleiding voor geheim agent werd een ontvoering in scène gezet waarbij de gegadigden vier dagen gegijzeld bleven. Vóór de oefening werd sommigen van hen gezegd zich op hun gevoelens te concentreren. Anderen moesten zich op de situatie richten. De eerste groep had achteraf veel meer behoefte over zijn gevoelens te praten. De conclusie was dat mensen die zich onder moeilijke omstandigheden op hun emoties richten in plaats van op objectieve feiten een grotere behoefte hebben om met anderen te praten en zich te uiten.

> *Voorbeeld: Winston wil dat zijn vriendin Nancy openhartiger is over haar gevoelens voor hem.*

Steeds als Nancy zich in een teleurstellende of moeilijke situatie bevindt, zou Winston haar bijzondere aandacht moeten geven. Om haar zich te laten uiten, zou hij haar moeten vragen naar haar gevoelens en niet naar feiten. Als ze bijvoorbeeld hooglopende ruzie met een collega heeft gehad, zou hij zoiets moeten zeggen als: 'Het moet erg akelig zijn te maken te hebben met iemand die niets om je gevoelens geeft,' of: 'Ben je meer gekwetst of kwaad?' Zulk soort vragen zullen Nancy eerder tot openhartigheid brengen dan vragen over de feiten van de ruzie: wie wat tegen wie zei en wie wat te verwijten valt.

Samenvatting van de strategie

Wees het volmaakte klankbord. Stel vragen, toon waardering en ga eerlijk in op wat iemand te zeggen heeft. Die positieve steun zal hem aanmoedigen zich ook verder voor jou open te stellen.

Als iemand bang of benauwd is, zoekt hij eerder gezelschap. Dat is het beste moment om te praten, omdat hij dan veel openhartiger en expressiever is dan gewoonlijk.

Als je wilt dat iemand meer praat, moet je dat zelf misschien minder doen. Relaties zoeken hun eigen praatevenwicht en zo zal de ander als vanzelf meer de sprekersrol gaan vervullen.

Investeer in iemands leven en hij zal dat teruggeven door zich te uiten en tegenover jou praatlustiger en openhartiger te worden.

Laat iemand zich in de mist of nasleep van een moeilijke situatie meer op zijn gevoelens en minder op de feiten richten en hij zal zich veel meer voor je openstellen.

Zie voor aanvullende strategieën:
Hoofdstuk 8: Eerste hulp: snel ieders stemming omdraaien
Hoofdstuk 14: Zo maak je iedereen meer zelfbewust
Hoofdstuk 18: Zo maak je van een muurbloempje een vlinder
Hoofdstuk 23: Zo leer je iedereen meer achting

ZO MAAK JE VAN EEN MUURBLOEMPJE EEN VLINDER

Bernice gaat niet de deur uit voor conversatie of vriendschap. Ze is het liefst alleen en ook als dat haar gaat vervelen, zal ze nog eerder ik weet niet wat doen dan de deur uitgaan en kennissen opzoeken. Als je Bernice in een ge-zelschap uit het hoekje van de kamer naar het middelpunt van de aandacht wilt krijgen, gebruik dan de psychologische technieken van dit hoofdstuk.

TECHNIEK 1: EEN HEEL NIEUWE WERELD

Ken je ook iemand die op vakantie dingen doet waar hij thuis nooit over zou piekeren? En met maar weinig of geen innerlijke strijd of schuldgevoelens? Uit onderzoek blijkt dat vertrouwdheid samengaat met de behoefte om consequent te zijn in levensovertuiging en gedrag. Als iemand op een vreemde plek is, waar het gewone leven van hem afvalt, kan het verband tussen levensovertuiging en gedrag dus worden verbroken.

Het lijkt misschien logisch dat je iemand gemakkelijker met anderen kunt leren omgaan in een vertrouwde omgeving, maar in de praktijk trekt juist die hem weer terug in zijn oude manier van doen, terwijl nieuwe plek-ken en een nieuwe omgeving nieuw gedrag mogelijk maken.

Soms kan ook een enkele gebeurtenis iemand voorgoed uit zijn schulp halen, maar over het algemeen worden blijvende gedragsveranderingen het best bereikt door een aantal ervaringen binnen een korte tijd.

Voorbeeld: Henry wil zijn zwager Amos helpen zijn
gezelschapsangst kwijt te raken.

Henry kan Amos eens meenemen op een reisje, weg van zijn gewone vrienden en invloeden. Of ze kunnen naar een bijeenkomst gaan waar ze niemand kennen. Het kan ook veel helpen als Henry zijn zwager zegt zich daarbij iets anders te kleden dan gewoonlijk. Zoals we al eerder hebben gezien, heeft uiterlijk een grote invloed op houding en kan een nieuw uiterlijk nieuw gedrag bevorderen.

Met de vakanties naar huis

Hoe komt het toch dat gewone, gelukkige en gezonde volwassenen maar een minuut of tien terug in hun ouderlijk huis hoeven te zijn om weer terug te vallen in het oude leefpatroon en het kinderlijke gedrag van jaren her? Dat komt doordat wij dan weer door dezelfde krachten – mensen en omgeving – aangestuurd worden als in onze kindertijd. Maar als je aan het gezelschap een enkele nieuweling, een tafelgast bijvoorbeeld, zou toevoegen of in een andere stad in een nieuw restaurant zou gaan eten, zou het patroon doorbroken worden en blijven de mensen meer zichzelf.

Techniek 2: Vaardigheden verbeteren

Geef je verlegen zusje bepaalde middelen in handen. Sommige mensen hebben van zichzelf het vermogen om gemakkelijk met anderen in gesprek te komen, maar de meeste moet je op weg helpen. Zodra je zuster zich toegerust voelt om situaties aan te kunnen en wat kleine successen heeft opgebouwd, zal ze meer mensen willen opzoeken en de deur uitgaan naar kennissen en bijeenkomsten.

Voorbeeld: Je neemt je verlegen vrouw Keiko mee
naar een zakendiner van je baas.

Tot sociale vaardigheden behoren het tonen van oprechte belangstelling voor wat iemand zegt en daar positief op ingaan met vragen als: 'Waarom houdt u zo van skiën? Hoe kwam u ertoe om kinderboeken te gaan schrijven? Hebt u altijd aan zee gewoond?' Maar laat Keiko vooral het 'luisteren en jaknikken' beoefenen en de mensen zullen haar fantastisch vinden omdat ze dan kunnen praten over wat hun favoriete onderwerp is – zijzelf.

Om Keiko beter op haar gemak te stellen, kunt u haar vijf trucs in haar handtasje meegeven:

Glimlach en kijk de mensen aan.
Stel vragen.
Houd een korte grap of grappig verhaaltje bij de hand.
Noem iemand bij de voornaam als je met hem spreekt.
Zeg als het uitkomt iets onschuldig vleiends zoals: 'Wat een geweldige das... U kunt heerlijk koken... U weet beslist veel van films' (of countrymuziek of boeken of noem maar op).

Alleen al doordat ze nu wapens heeft om die ongemakkelijke stilte te pareren waar ze zo bang voor is, zal Keiko zich meer op haar gemak voelen.

TECHNIEK 3: OPGAAN IN EEN UITLAATKLEP

Een van de gemakkelijkste en beste manieren om iemand contacten te doen leggen, is hem te laten opgaan in iets waar hij veel van houdt.

Elke liefhebberij of sport met gelijkgezinden zal hem uit zijn schulp helpen. Bij anderen die net zo zijn als hij en die doen wat ook hij graag doet, is hij minder geremd. Daar kan hij dan vrienden maken en van de omgang genieten.

Wie ergens in uitblinkt is altijd blij als anderen daarvan onder de indruk zijn. Moedig zo iemand, ook al is hij uit zichzelf verlegen, dus aan om door jou uitgenodigde mensen te ontmoeten. Begin met een enkele gast en nodig langzamerhand meer mensen uit. Zo zal de verlegene zich meer op zijn gemak voelen, omdat hij ingewijd is en het langste meeloopt. Steeds als dan een gast als 'nieuweling' voor het eerst onwennig binnenkomt en hij die wegwijs kan maken, zal zijn zelfvertrouwen groeien.

Voorbeeld: Een moeder wil dat haar dochtertje
Justine meer vriendinnetjes maakt.

Als Justine belangstelling heeft voor muziek, kan de moeder haar lid laten worden van een band of met andere kinderen een eigen muziekgroepje laten beginnen. Na een tijdje kan ze daar misschien zelfs wel mee optreden. Wat Justine ook graag doet – koken, sport, schrijven, schilderen of wat dan ook, de moeder kan haar laten meedoen met een groep meisjes van dezelfde leeftijd die dat ook graag doen.

TECHNIEK 4: MIDDELPUNT VAN DE AANDACHT

Hoe haal je een binnenvetter uit zijn schulp? Maak hem tot een middelpunt van de aandacht. Dat kan door hem iets te laten doen – bijvoorbeeld een test of een scholingscursus – waar hij goed in is. Je kan hem zo'n cursus ook zelf laten geven. Mensen zullen dan vanzelf naar hem toe komen en hij zal dat heerlijk vinden, omdat hij dan kan schitteren. Als hij nergens in uitblinkt, laat hem dan iets doen met jongeren of met gehandicapten, zodat hij toch de kundigste en bekwaamste van de groep is.

Verlegenheid of ingekeerdheid wordt meestal afgezwakt door de betreffende in een situatie te brengen waarin hij de kundigste is. Zo kan hij zonder plankenkoorts aan zelfvertrouwen winnen en is hij er zeker van steeds aanmoediging en positieve weerklank te krijgen.

*Voorbeeld: Michiel wil dat zijn zoontje Jason meer
onder de mensen komt.*

Stel, Jason is goed in boogschieten. Michiel zou kunnen proberen andere kinderen, die er niet zo goed in zijn, lid te laten worden van een boogschuttersclub. Zijn zoon kan daar dan ook lid of misschien wel oefenmeester worden. De andere kinderen geven Jason dan natuurlijk aandacht en lofprijzingen, Jason is dan het middelpunt en dat zal hem goed doen. Of Jason nu goed is in wiskunde, klimmen, computers of wat dan ook, omring hem met kinderen die daar minder goed in zijn. Zo geleidt Michiel zijn zoon heel natuurlijk naar een toestand waarin die meer naar buiten treedt.

Samenvatting van de strategie

Als je daar invloed op kunt hebben, laat de betreffende dan een nieuwe plek zoeken of daarheen verhuizen. Als iemand uit zijn gewone omgeving komt, kan hij ook gemakkelijker uit zijn schulp kruipen.

Help een verlegen mens om zijn contactuele vaardigheden te verbeteren. Hoe beter we contact kunnen maken, des te meer zullen we de mogelijkheden om contact te maken aangrijpen.

Een gemakkelijke en toch werkzame techniek is iemand te laten meedoen met iets wat hij graag doet, met anderen die dat ook graag doen. Zijn persoon zal erdoor opbloeien.

Schep omstandigheden waarin iemand de kundigste en beste van de groep is. Als middelpunt van aandacht en invloed zal hij aan zelfvertrouwen winnen.

Zie voor aanvullende strategieën:
Hoofdstuk 9: De gave van zelfwaardering
Hoofdstuk 15: Zo maak je van een luiwammes een eerzuchtige doorzetter

19

ZO MAAK JE VAN EEN KRENT
EEN VRIJGEVIG MENS

Als de rekening op tafel komt, zijn mijnheer Krents armen te kort en zijn zakken te diep: hij is steevast de laatste die aanbiedt te betalen. Als hij iets koopt, is het altijd het goedkoopste wat er te vinden is. Als je daar genoeg van hebt, gebruik dan de volgende psychologische knepen om van zo'n gierige afknijper een gul mens te maken.

TECHNIEK 1:

Als mensen een situatie helemaal zelf in de hand hebben, hebben zij meestal ook een groter verantwoordelijkheidsgevoel. Juist als je je er helemaal niet mee bemoeit hoe mijnheer Krent zijn geld uitgeeft, kan dat zijn houding helpen veranderen.

Psychologisch gezien is het zo dat hoe meer je zijn gedrag hekelt, des te meer je ook zijn zelfbeeld vastpint op dat van een goedkoop mannetje. Dan heeft hij ook geen reden om dat te veranderen. Zolang hij weet dat jij, als hij eens gul uit de hoek komt, iets zult zeggen als: 'Kijk, kijk, mijnheer Krent springt ook eens uit de band!', geef je hem maar weinig reden tot verandering.

Onbedoeld kan je hem zo in de rol van vrek dwingen. Hij houdt aan die rol vast omdat jij aan de jouwe blijft vasthouden. Waarom probeer je je niet wat terug te trekken en hem voor een proeftijd zijn gang te laten gaan? Misschien merk je dan dat hij terugvalt naar een punt waarop hij niet langer de 'slechterik' is en dus ook wat makkelijker met zijn geld gaat omspringen.

> *Voorbeeld: Een vrouw moet haar man over elke uit-*
> *gegeven cent rekenschap afleggen en ze wil dat hij*
> *vrijgeviger wordt.*

De vrouw zou bijvoorbeeld kunnen zeggen: 'Schat, het spijt me echt dat ik al die jaren zo gezanikt heb over hoe je je geld besteedt. Ik weet dat als jij niet zo verantwoord met geld omsprong, we nu een hoop minder zouden hebben om van te leven. Natuurlijk vind ik het ook wel jammer dat we niet af en toe eens gewoon een paar gekke dingen hebben gekocht, maar voor de rest ben je altijd zo attent. Dus ik probeer je niet meer te overreden. Als het nodig is dat we iets kopen, dan beslis jij en dat vind ik prima.'

Techniek 2: Niet gewoon

Stel dat je 25 cent te kort komt voor de bus en je zou een onbekende om geld vragen, zou je dan beter om precies die 25 cent kunnen vragen of om 37 cent of om zo maar wat kleingeld dat iemand missen kan? Volgens een onderzoek zou je de meeste kans maken als je om 37 cent vroeg. Waarom? Omdat dat de mensen aan het denken zet! Het onderzoek liet zelfs zien dat bijna twee keer zoveel mensen geld gaven bij het horen van dat scheve getal als wanneer hun om precies 25 cent was gevraagd.

Waarom zouden mensen niet doen wat het gemakkelijkst is – een enkel muntstukje van 25 geven (dit onderzoek is gehouden in Amerika) in plaats van vier muntjes om aan de 37 te komen? Blijkbaar gaan mensen als je ze om 37 cent vraagt meer over je vraag nadenken. Als het alleen om het geld ging, zouden bedelaars en bietsers wel een of twee muntjes krijgen van iedereen aan wie ze dat vroegen – maar dat gebeurt niet. Het gaat erom dat de ander je verzoek echt hoort en erover nadenkt. Een doorsneeverzoek wordt met gemak afgewimpeld.

Maar als iemand een verzoek wel wat nader moet bekijken, zoals bij zo'n scheef getal, is hij meer geneigd te helpen. Hij kan dan niet zo gemakkelijk nee zeggen en tot de orde van de dag overgaan. Hij ziet degene die busgeld nodig heeft dan als een mens met een probleem, niet als iemand die zo maar wat vraagt.

Als je wilt dat iemand je wat geeft, zorg er dan voor dat hij je verzoek niet kan afwijzen zonder jou en je probleem volle aandacht te hebben geschonken. Bovendien blijkt uit dit vragen om een scheef getal dat je de waarde van geld kent en precies lijkt te vragen wat je nodig hebt en het niet voor het gemak maar wat afrondt.

> *Voorbeeld: Een inzamelaar gaat bij mijnheer*
> *Afknijper vragen om geld te geven voor een nieuw*
> *ziekenhuis.*

Als die inzamelaar alleen maar vraagt om de gift van een rond getal zoals bijvoorbeeld honderd euro, dan kan dat verzoek gemakkelijk worden geweigerd. Maar nu zegt hij in plaats daarvan: 'Mijnheer A., zoudt u 104 euro aan het nieuwe ziekenhuis willen bijdragen?' Dan is mijnheer A.'s nieuwsgierigheid geprikkeld en zal hij in plaats van 'nee' eerder geneigd zijn om te zeggen 'Waarom 104 euro?' en dat geeft de inzamelaar de kans zijn idee te verkopen.

TECHNIEK 3: EEN DOSIS PERSPECTIEF

Heb je ooit langs een ernstig verkeersongeluk gereden en gemerkt dat de mensen bij jou in de auto opeens veel aardiger tegen elkaar werden? Opeens hing er een soort rustige vriendelijkheid in de lucht. Of heb je ooit een vriend opgezocht die in het ziekenhuis lag en is het je toen opgevallen, zodra je de ingangshal uitliep en om je heen keek, de wereld net wat anders leek? Met een gemengd gevoel van opluchting, droefheid en optimisme. Je was blij om te leven en dankbaar voor wat je had. Zulke omstandigheden geven ons een gezonde dosis perspectief. Het beste moment om een gift of hulp te vragen is dan ook als de ander kort daarvoor zo'n ervaring heeft gehad. Hij zal eerder tot geven geneigd zijn wanneer hij zich wil binden aan iets wat echt en blijvend is.

Voorbeeld: Steeds als je iets van je vader krijgt is het
klein en onbenullig.

Neem je vader mee naar een oude of zieke vriend of kennis. Laat hem zien dat het leven eindig is en dat het einddoel niet is om te sterven met het meeste geld. Dat zal hem de gedachte aanreiken dat alleen wat we voor anderen doen en niet wat we hebben ons kenmerkt en maakt tot wat wij zijn.

Techniek 4: Voorwaarts en weer terug

Bij deze techniek vraag je iemand in het begin om veel meer dan hij waarschijnlijk wil geven. En nadat hij dat dan geweigerd heeft, vraag je om minder – om dat wat je echt wilt. Caldini c.s. vroegen studenten op straat of zij twee uur per week en twee jaar lang vrijwillig jonge criminelen wilden begeleiden. Niemand zei ja. Maar dan, voordat die studenten doorliepen, werd hun gevraagd of zij diezelfde jongeren twee uur lang wilden begeleiden naar een dierentuin. Daarop zei de helft van de studenten ja. Maar van andere studenten aan wie meteen werd gevraagd om zulke jongeren mee naar een dierentuin te nemen, zei maar zeventien procent ja.

Drie psychologische krachten zijn hier in het spel: (1) als een ander ons wat tegemoetkomt, hebben wij de neiging iets terug te willen doen; (2) wij willen niet als star en onredelijk gezien worden en (3) wij willen onszelf zien als goede mensen en dus proberen wij die 'nare' nasmaak van niet geholpen te hebben weg te werken door iets te doen wat gemakkelijker is en minder vergt.

Voorbeeld: Gary wil dat zijn schoonvader, mijnheer Smit, 30.000 euro in zijn nieuwe zaak investeert.

Nadat Gary zijn opzet heeft uitgelegd, zegt hij tegen zijn schoonvader: 'Om het echt van de grond te krijgen, hebben we 200.000 euro nodig.' Nadat schoonpapa bijna is flauwgevallen, zal hij antwoorden: 'Dat is te veel.' Gary pauzeert dan even en zegt dan bijvoorbeeld: 'Goed, okay. Het meeste kan ik wel lenen bij de bank en ik heb spaargeld. Maar kun jij geen 30.000 bijleggen?' Nu is Smit opgelucht en heeft hij uit zichzelf zin Gary op de een of andere manier te helpen.

Samenvatting van de strategie

Geef een krent volmacht om alle beslissingen te nemen. In korte tijd zal zijn houding tegenover geld losser worden: als jij hem niet meer onder druk zet, zal hij niet meer afknijpen.

Als je iets vraagt, doe dat niet op een doorsneemanier. Vraag wat je wilt zó dat de ander erover moet nadenken en het niet meteen kan afwijzen.

Herinner de ander aan de echte waarde van het leven door zijn perspectief te veranderen. Neem hem mee naar een zieke of oude vriend om hem te laten ervaren wat belangrijk is.

Als je eerst iets veel groters vraagt en daarna terugvalt op minder, zullen mensen je waarschijnlijk eerder – gedeeltelijk – geven wat je wilt.

Zie voor aanvullende strategieën:
Hoofdstuk 8: Eerste hulp: snel ieders stemming omdraaien
Hoofdstuk 9: De gave van zelfwaardering
Hoofdstuk 23: Zo leer je iedereen meer achting

20

HELP IEDEREEN ZICH OVERAL
MINDER SCHULDIG
OM TE VOELEN

Schuldgevoel is een negatieve kracht die ons omlaag trekt en onbewust in zelfverwoestend gedrag verwikkelt – tenzij hij ons tot daden beweegt, en wat wij in dat geval eigenlijk hebben is spijt.

Met behulp van de volgende vier stappen kun je een schuldbewust mens helpen zijn negatieve emoties om te zetten in positieve, zijn schuldgevoelens om te zetten in spijt en spijt in daden.

Stap 1: Stop het gedrag. Als iemand nog volhardt in gedrag waar hij zelf een slecht gevoel over heeft, moet hij daar mee ophouden. Als hij dat niet meteen kan, laat hem dan een planning maken – en zich daaraan houden. Op die manier beweegt hij zich alvast in de richting van zijn doel en gaat hij zich al beter voelen.

Stap 2: Probeer genoegdoening te geven. Als iemand een ander heeft benadeeld, laat hem dan zijn excuses maken op de manier die uiteengezet is in de hoofdstukken 24 en 25. Als hij iets heeft gedaan wat niet hersteld of rechtgezet kan worden (of waar geen ander bij betrokken was), laat hem zijn spijt dan hardop onder woorden brengen. Zoals in een vorig hoofdstuk uiteengezet, heeft dat meer betekenis dan wanneer we het alleen maar in onszelf denken.

Stap 3: Een nieuwe mens in de wereld zetten. Hoe kun je er zeker van zijn dat het eerdere gedrag zich niet zal herhalen? Behalve dat hij dit gedrag stopt of inperkt, moet de betrokkene een plan gaan uitvoeren om herhaling te voorkomen – een plan dat het hem moeilijker maakt in dezelfde fout te vervallen. Daarmee zegt hij tot zichzelf en de rest van de wereld dat hij een ander mens is geworden, een nieuw iemand die alles doet om zijn 'verbeterde ik' in stand te houden.

Stap 4: Een opstapje ten goede. Wat de ander ook gedaan heeft, kijk of hij het in iets positiefs kan omzetten. Wat het ook geweest is, gebruik het als een stimulans om iets goeds te doen voor een ander. Als dat niet mogelijk is, laat hem dan iets goeds gaan doen wat niet met zijn oude fout te maken heeft, maar wat hij anders niet gedaan zou hebben.

Deze vier eenvoudige stappen hebben de kracht een door schuldgevoelens gekweld mens van gedaante te doen veranderen, hem te helpen zijn schuld kwijt te raken, zich goed te voelen en verder te gaan met het leven. We zijn allemaal mensen en mensen maken fouten. Het leven gaat niet over volmaakt zijn maar over wat we doen als we merken dat we verkeerd hebben gedaan. Wie we zijn is hoe we onze fouten goedmaken.

Voorbeeld: Een therapeut heeft een patiënt, Gerard,
die zich slecht voelt over hoe hij zijn ouders
behandeld heeft.

Als er nog contact is, kan de therapeut aangeven hoe Gerard zijn ouders genegenheid en dankbaarheid kan betuigen. Gerard zou zich ook bij hen moeten verontschuldigen en precies zeggen waarvoor.

Verder zou hij aangemoedigd moeten worden de oorzaak van zijn wandaden weg te nemen. Als hij zich bijvoorbeeld misdraagt na gedronken te hebben, zou hij zich bij Anonieme Alcoholisten moeten melden. Als hij zich te gauw kwaad maakt, zou hij een cursus woedehantering moeten volgen.

Als er nog contact is, zou Gerard zich moeten voornemen zijn ouders een bepaald aantal keren per maand te spreken of op te zoeken. Als er geen contact meer is, zou de therapeut Gerard moeten aanmoedigen iets positiefs te doen in de geest van zijn nieuwe levensvisie. Hij zou bijvoorbeeld vrijwilliger kunnen worden in een verzorgingshuis of bij families waar het tot een breuk of vervreemding is gekomen.

Zie voor aanvullende strategieën:

Hoofdstuk 9: De gave van zelfwaardering

Hoofdstuk 24: Laat iedereen zich wat vaker verontschuldigen

Hoofdstuk 25: Verdrijf kwaadheid en maak iedereen meer vergevensgezind

DEEL IV

Zo verander je ieders levenshouding en gedrag

Gebruik de kracht van de psychologie om iedereen van elke negatieve houding en van elk ongewenst gedrag af te helpen. Of het je patiënt, je kind, je vriend of je echtgenoot is, help iedereen snel en voorgoed – ook hij die niet wil veranderen of denkt dat hij dat niet hoeft.

Dwaas volgehouden consequentie is de boze toverfee van beperkte mensen
– Ralph Waldo Emerson

21

BEZIEL IEDEREEN MET EEN ONWANKELBAAR VERANT-WOORDELIJKHEIDSGEVOEL

Roger leeft alsof hij door iemand anders wordt aangestuurd. Van zijn problemen geeft hij alles en iedereen – van de wereld tot zijn moeder – de schuld, behalve zichzelf. Hij zegt dat hij je wil helpen, maar als het erop aankomt is hij nergens te vinden. Als je zijn onverantwoordelijke gedoe beu bent, pas dan de volgende technieken toe; die kunnen van elke stuurloze rommelaar een betrouwbaar en verantwoordelijk mens maken.

TECHNIEK 1: HET GOEDE VOORBEELD GEVEN – OF NIET

Kinderen, echtgenoten, collega's en anderen met wie je heel wat tijd samen spendeert, kun je het beste tot meer verantwoordelijkheidsgevoel brengen door het goede voorbeeld te geven. Je eigen houding heeft meer invloed op anderen dan je misschien wel denkt. Hoeveel ouders zijn er niet die hun kinderen leren om niet te liegen, maar die wel samen afspreken dat een van hen zogenaamd niet thuis is als die of die opbelt. De mensen om je heen letten goed op wat je doet. Laat ze dus wat van je opsteken.

Toch moet je sommige mensen omgekeerd aanpakken. Roger gedraagt zich bijvoorbeeld onverantwoordelijk omdat hij weet dat jij de dingen toch wel weer zult rechtzetten of in orde brengen. Probeer ook bij hem eerst het goede voorbeeld te geven, maar schakel, als je daar niet erg ver mee komt, over op de volgende tactiek en je zult merken dat hij de rol van de verantwoordelijke van je overneemt naarmate jij die laat liggen.

Nogmaals: begin met het goede voorbeeld te geven. Ook al is iets moeilijk, doe het toch. Doe het zo goed als je kunt, wat het ook is, en probeer de verwachtingen zo mogelijk te overtreffen. Pas als dat voorbeeld niet helpt, schakel je over op plan B: neem op een verantwoorde manier afstand van je rol als probleemoplosser en je zult merken dat hij die dan uit zelfbehoud overneemt.

> *Voorbeeld: Een moeder wil dat haar kinderen hun*
> *speelgoed beter opruimen.*

De moeder zou om te beginnen zelf zorgzaam met haar eigen spullen – haar sieraden, planten, meubels, auto enzovoort – moeten omgaan, op een manier die voor de kinderen zichtbaar is. Als dat niet werkt zou ze, op een verantwoorde manier, het speelgoed van de kinderen buiten moeten laten liggen als het begint te regenen. (Ouders moeten hierbij wel bedenken dat zij uiteindelijk verantwoordelijk blijven en dat ze kinderen nooit aansprakelijk kunnen stellen voor dingen die hun begrip te boven gaan).

Techniek 2: Aan een gelegenheid optrekken

Ontwikkel bij de ander een gevoel van verplichting: laat hem weten dat hij de enige is die jou bij een bepaald doel kan helpen. Alleen door zijn hulp kun jij die zaak anders aanpakken. Hij moet ook inzien dat zijn weigering jou in grote moeilijkheden zou brengen. Zonder dat laatste zou hij niet voelen dat hij jou door een weigering in de steek liet.

Dit werkt op korte termijn en legt bij hem tevens een fundering om iemand te worden die meer verantwoordelijkheidsgevoel heeft en zich aan zijn afspraken houdt.

Voorbeeld: Peter, een administratief medewerker, wil
dat zijn collega Pamela zich houdt aan haar belofte
om hem te helpen.

Peter zegt: 'Pamela, ik moet je nog zeggen dat ik je aanbod om mij te helpen zo gewaardeerd heb dat ik er andere afspraken voor heb afgezegd en mijn agenda nu aanpas aan die van jou.' Daarna somt hij de nadelige gevolgen op als zij zich nu zou terugtrekken en werkt dan zo mogelijk op haar ego door te zeggen dat wat hij van haar nodig heeft door niemand anders kan worden vervuld – niet omdat hij geen ander zou kunnen vinden, maar omdat zij hier de beste persoon voor is. 'Als dit niet goed gedaan wordt, zit ik in de prut, dus ik ben dolblij dat ik op jou kan rekenen omdat jij het beste weet hoe dit werkt.'

Techniek 3: Ik denk dat je het kunt

Er is een oud verhaal over een klas in een van de ergste schooldistricten van New Jersey (Verenigde Staten). De leerlingen hadden er nog nooit meer dan zessen, vieren of tweeën gehaald. Ze waren wanordelijk en onhandelbaar – op de allerergste manier. Toen kwam er uit een ander schooldistrict een nieuwe lerares. Binnen één kwartaal schoten de cijfers omhoog naar achten, zessen en vieren. Tegen het tweede kwartaal had de hele klas gemiddeld een zeven, iets wat nog nooit eerder gebeurd was.

De lerares werd in dat district uitgeroepen tot leerkracht van het jaar. Bij de prijsuitreiking zei de inspecteur: 'U had de meest onhandelbare klas, met kinderen die zich door niemand lieten helpen. U maakte er een klas van die wil leren, beter wil worden, goede cijfers wil halen, niet de orde verstoort en waar niemand spijbelt. Hoe heeft u dat aangepakt?'

De lerares zei: 'Ik weet niet waar u het over hebt. Deze kinderen hadden allemaal een meer dan gemiddeld IQ.'

De schooldirecteur zei: 'Mevrouw, nu u er zelf over begint; ze hebben allemaal een minder dan gemiddeld IQ.'

'En kijkt u dan eens hier,' zei de lerares en ze haalde een stuk papier te-voorschijn. 'Voordat ik de klas overnam, heb ik eerst naar deze getallen ge-keken: 125, 130, 140, 118. U ziet: daar zijn hoge IQ's bij. Toen ik die had ge-zien, heb ik ze elke dag les gegeven en geoefend en college gegeven alsof het verstandige mensen waren. Als ze iets vroegen, zei ik: 'Dat is een fantastisch goeie vraag, alleen verstandige mensen vragen zulke dingen.' Ik behandel-de ze alsof zij echt verstandig waren en toen ging het goed met ze.'

De inspecteur zei: 'Mevrouw, dat zijn geen IQ's, dat zijn de nummers van hun kastjes.'

Deze lerares praatte niet tegen de kinderen alsof ze idioten waren, maar alsof ze intelligent waren. Als er een iets vroeg, zei ze niet: 'Wat een stomme vraag,' zoals eerdere leraren wel hadden gedaan, maar: 'Dat is een geweldig goeie vraag. Wat slim van jou!'

Als je nog jong bent, is alles wat je hoort, en vooral uit de mond van een leraar, zoiets als het evangelie. Als de leraar dan zegt dat je dom bent, laat de rest zich raden. Maar als de leraar zegt: 'Dat is een goeie vraag, dat is een verstandige vraag,' dan word je daar verstandiger van.

Onderzoek binnen diverse gebieden, van militaire training tot de ar-beidswereld tot het gezin, komt steeds tot éénzelfde conclusie, een conclu-sie met verstrekkende gevolgen: als we weten dat iemand in ons gelooft, dat we iets kunnen, dan werken we ook harder om zijn of haar verwachtingen waar te maken.

Of het nu gaat om kinderen, om medewerkers of om de man van de ben-zinepomp, jouw prestatieverwachting zal de werkelijke prestatie gunstig beïnvloeden.

Jongens en meisjes

Het begrip prestatieverwachting strekt zich uit over een breed gebied. Als studentes van tevoren dachten dat mannen beter in wiskunde waren dan vrouwen, dan deden ze het bij dezelfde toets ook meer dan drie keer zo slecht als mannen. Maar als ze dachten dat mannen en vrouwen niet echt verschilden in aanleg voor wiskunde, dan scoorden ze bijna even goed. Onze eigen verwachtingen en de verwachtingen die anderen van ons hebben, hebben op onze prestaties een sterke invloed.

De macht der verwachting is reusachtig groot. Jouw vertrouwen in iemand en jouw verwachting dat hij meer verantwoordelijkheidsgevoel zal krijgen, zullen zijn zelfvertrouwen en zijn eigen verwachtingen opvijzelen. Hijzelf wil je niet laten vallen en als jij zijn ware mogelijkheden ziet, zal hij die op den duur ook zien.

Voorbeeld: Een leraar wil dat Martin, een probleem-
leerling, vlijtiger wordt.

De leraar gaat Martin behandelen alsof hij een genie in de dop is. Elk fout antwoord van Martin wordt beantwoord met bijvoorbeeld: 'Wat een interessante benadering' of 'Ik denk niet dat dat goed is, maar denk er nog eens over na, je komt er nog wel op, daar ben ik zeker van.' Buiten de klas kan de leraar Martin vragen wat zijn plannen zijn als hij ouder wordt en hem aanmoedigen zijn mogelijkheden te ontplooien.

Techniek 4: De vos en de kippenren

Als iemand laks is, zal hij heel gauw, soms ook onbewust, zijn gedrag goedpraten. Wanneer hij dan verantwoordelijk wordt gemaakt om anderen precies dat te laten doen waar hijzelf laks in was, dan wordt hij strenger. Dan zit hij met het verschil tussen zijn eigen laksheid en zijn strengheid tegenover de laksheid van anderen. Dat geeft een innerlijk conflict. Om dat kwijt te raken zou hij of hopeloos moeten tekortschieten in zijn nieuwe taak of zijn eerdere lakse houding veranderen. Als de prikkel om zijn taak goed te doen maar sterk genoeg is, zal hij zijn eerdere gedrag veranderen om het met zijn nieuwe rol op een lijn te brengen.

Voorbeeld: Een verkoopmanager wil dat haar verkoper Devon meer verantwoordelijkheidsgevoel krijgt.

Stel dat Devon het voorgeschreven aantal bestellingen niet haalt en zijn papieren maar zelden of nooit helemaal invult. De manager kan Devon er dan verantwoordelijk voor maken dat alle verkopers hun quotum halen en hem bovendien de leiding geven over een nieuw gecomputeriseerd administratiesysteem. Nu zal Devon, om zijn nieuwe taak goed te vervullen, een model van verantwoordelijkheidsgevoel worden.

Samenvatting van de strategie

Je gedrag heeft meer invloed op mensen dan je misschien denkt.

Handel zelf met verantwoordelijkheidsgevoel en je zult zien dat je omgeving dat ook doet.

Doe een beroep op iemands ego en geweten door hem erop vast te leggen jou te helpen met iets wat alleen hij het beste kan.

Verwacht van iemand het beste en laat hem dat weten. We zijn geneigd te voldoen aan de verwachtingen die anderen van ons hebben – zowel ten goede als ten kwade.

Maak iemand verantwoordelijk voor precies dat waar hij laks in is. Dat roept een machtige psychologische kracht op, die hem tot verantwoordelijk handelen brengt.

Zie voor aanvullende strategieën:
Hoofdstuk 9: De gave van zelfwaardering
Hoofdstuk 10: Zo vernietig je zelfvernietigend gedrag
Hoofdstuk 15: Zo maak je van een luiwammes een eerzuchtige doorzetter

22

BRENG IN IEDEREEN DE ROMANTISCHE KANT NAAR BOVEN

'Mijn man is ongeveer zo romantisch als een stuk steen. Hij doet bijna nooit iets liefs en het beetje dat hij dan nog doet, daar moet ik hem om smeken.' Als je dat beu bent en een kouwe kikker in een romanticus of romantica wilt veranderen, dan kan dat nu.

TECHNIEK 1: SPEEL EEN ROL

Heeft u ooit iemand ontmoet die in de ene situatie totaal anders was dan in de andere? Alsof hij twee persoonlijkheden had? Veel toneelspelers zijn buiten het theater pijnlijk verlegen; ze kunnen geen interview geven of het zweet breekt hen uit en ze struikelen over elk woord. Toch gaan diezelfde mensen voor een duizendkoppig publiek de planken op om kalm en foutloos hun voorstelling te geven. Hoe doen ze dat? Ze spelen maar een rol. Niet zijzelf staan op het toneel, maar een personage met wie ze voor een tijdje hetzelfde lichaam delen. Dit is ook een geweldige manier om iemand eraan te laten wennen romantisch te zijn, te voelen of te doen.

Voorbeeld: Ed wil dat zijn vrouw Laura romantischer wordt.

Ed vraagt Laura zich in te denken dat ze een ander is en dan als dat andere personage te handelen. Misschien zouden ze samen naar een romantische film kunnen kijken en daarna zou Laura de rol van de actrice kunnen naspelen. Voor de sfeer kunnen ze rekwisieten inzetten en als Laura het leuk vindt, kan ze haar 'rol' van tevoren instuderen.

Onderschat de psychologische werking hiervan niet. Allemaal hebben we een aantal rollen in het leven. Een vrouw kan echtgenote, moeder, dochter, zuster, vriendin zijn, in een beroep werken enzovoort. En in elke rol denken, spreken en gedragen we ons anders. Hier breiden we iemands repertoire dus uit met een nieuwe rol.

TECHNIEK 2: EMOTIONELE VOEDING

Iemand gedraagt zich bij jou in hoge mate naar het gevoel dat hij door jou van zichzelf krijgt. Als je dus wilt dat iemand romantischer wordt, moet jij hem daartoe het vermogen geven. Mensen geven graag, maar hebben daar wel emotionele voeding voor nodig. Als je man jou niet de romantiek geeft waar jij naar verlangt, heb je jezelf dan ooit afgevraagd: geef ik hem wel waar hij naar verlangt?

Het is niets nieuws dat mannen en vrouwen verschillend zijn en een verschillende 'voeding' nodig hebben. Misschien is het wel nieuw dat je door eenvoudige handelingen zo'n grote invloed kunt hebben op de romantische kanten van je man. Concentreer je op het volgende: mannen zijn op zichzelf gericht en een vrouw moet hem dus in elk geval zeggen hoe verstandig en bekwaam en fantastisch hij wel is. Vrouwen worden daarentegen gevoed door emoties: gevoelens, belangstelling, woorden van liefde en waardering. Als een man zijn vrouw emotioneel voedt, krijgt ze de voeding en het verlangen om de afstand te verkleinen en romantischer te worden.

Voorbeeld: Dora wil dat haar man Jaap attenter en
liefdevoller wordt.

Buiten de slaapkamer zou Dora Jaaps ego moeten voeden. Minstens een paar keer per dag zou ze naar zijn mening moeten vragen, hem prijzen om iets wat hij doet en zeggen hoe veel respect ze heeft voor hoe hij in bepaalde situaties optreedt. Ze zou bijvoorbeeld kunnen zeggen: 'Lieverd, ik zou je mening willen horen. Denk je dat mijn vader nu in XYZ moet beleggen of beter nog even kan wachten?' of 'Je reageert zo goed op Suzanne, ik weet hoe moeilijk ze kan zijn, maar jij blijft gewoon altijd kalm. Je bent geweldig.' Dat zijn maar kleine dingen, maar ze kunnen een geweldig verschil maken.

TECHNIEK 3: ZEGGEN EN VERKOPEN

Zorg ervoor dat je echtgenoot weet wat je wilt. Vaak is hij of zij best bereid en in staat om iets te doen, maar heeft hij geen flauw benul wat. Maak je wensen duidelijk. Inzake romantiek neemt een vrouw bijvoorbeeld maar al te gemakkelijk aan dat haar man weet wat ze graag krijgt en wil – terwijl dat misschien niet zo is. Zodra hij het weet, moet zij hem door positieve reacties aanmoedigen, zodat hij haar steeds liever een genoegen doet.

> *Voorbeeld: Laura wil dat haar man Bob briefjes en gedichtjes voor haar klaarlegt en haar met een romantisch gebaar verrast.*

Laura moet Bob precies vertellen wat ze van hem wil. Als ze wil dat hij liefdesbriefjes schrijft en haar een keer per week mee uit eten neemt, moet ze hem duidelijk maken hoe belangrijk dat voor haar is. Ze zou Bob bij elke stap in de goede richting positieve ondersteuning en complimenten moeten geven. Als Bob niet erg opschiet, is dat misschien omdat hij bang is niet aan haar verwachtingen te kunnen voldoen. Maar als ze een tijdje volhoudt, zal hij ten slotte elke kans aangrijpen om romantischer te zijn.

Techniek 4: Een heel nieuwe jij

Om iemand anders te veranderen moeten we op een zeker moment ook onszelf veranderen. Als je wilt dat je partner romantischer wordt, probeer hem eens een ander 'lokaas' voor te houden. Zonder een discussie over smaken en voorkeuren te beginnen, kan gezegd worden dat het in de menselijke aard ligt om van nieuwe dingen te houden. Dus je zou je partner een nieuwe jij kunnen aanbieden.

> *Voorbeeld: Alexandra wil dat haar man meer belang-*
> *stelling voor haar toont en meer opgewonden van*
> *haar wordt.*

Alexandra kan dat op een aantal manieren bereiken, van haar kleding tot hoe ze haar haar draagt, van wat ze doet tot wat ze zegt. Door het beeld dat haar man van haar heeft door elkaar te schudden, verandert ze de manier waarop hij haar ziet en dat verandert weer zijn reacties.

Techniek 5: Een andere wereld

Zoals al bij *techniek 1* is opgemerkt, spelen de meesten van ons nogal uiteenlopende rollen en dat kan een belemmering zijn. Als je man jou 'ziet' in een onromantische rol, kan het moeilijk voor hem zijn om om te schakelen. Met andere woorden, een vrouw mag dan een fantastisch goede moeder zijn, maar om romantische gevoelens te krijgen moet haar man haar als vrouw zien. Een echtgenoot mag voor zijn oudere moeder een goede en aandachtige zoon zijn, zijn vrouw moet hem met andere ogen zien. Soms heeft de echtelijke romantiek haar prilheid verloren en heeft zich een onromantisch beeld van de ander vastgezet. Hoe langer een stel samen is, des te meer raken de verschillende rollen met elkaar vervlochten. Om de romantische vonk terug te vinden, moet je je onderlinge relatie losmaken van alle andere rollen die je speelt.

Voorbeeld: Jos wil opnieuw de vonk doen ontvlam-
men die hij en zijn vrouw hadden bij hun trouwen.

Als Jos romantisch wil worden, moet hij de 'rol van de man' spelen. Verhalen over collega's op het werk, het buitenzetten van de vuilnisbak en voor de belasting aftrekbare posten zijn misschien nuttig, maar niet voor het zichtbaar maken van zijn romantische kant. Hij moet de sfeer en het gesprek gericht houden op zijn vrouw en zichzelf, zodat zij hem duidelijk ziet in de rol die haar het meest inspireert en opwindt.

Samenvatting van de strategie

Laat iemand een ander personage spelen als rol. Zo kan hij aan een meer romantische houding wennen zonder zich opgelaten te voelen.

Als je iemands emoties voedt, zal hij of zij meer dan gewillig zijn om romantischer te worden.

Wees duidelijk over wat je wilt, zo duidelijk als je maar kunt. Dan wordt je partner enthousiaster omdat hij weet wat hij moet doen en jij daar weer uiterst positief op reageert.

Verandering van spijs doet eten. Als je je presentatie door elkaar schudt, verander je ook de manier waarop je partner je ziet.

Allemaal spelen we verschillende rollen in het leven – sommige zijn romantisch, maar de meeste niet. Zorg ervoor in een romantische rol te zijn om je partner in de goede stemming te brengen.

Zie voor aanvullende strategieën:
Hoofdstuk 8: Eerste hulp: snel ieders stemming omdraaien
Hoofdstuk 9: De gave van zelfwaardering
Hoofdstuk 23: Zo leer je iedereen meer achting

ZO LEER JE IEDEREEN
MEER ACHTING

Of het nu om een kennis, familielid of collega gaat, als iemand je slecht behandelt is dat drastisch te veranderen – en ook met weinig moeite. De technieken zijn doodeenvoudig en vormen de basis van elke omgang.

Dat die ander misschien een botte egoïst of een heel simpele geest is, is helemaal niet van belang. De technieken geven hem wat hij nodig heeft om jou en de mensen waar jij van houdt op de goede manier tegemoet te treden.

TECHNIEK 1: VERANDER JE REACTIES

Hoe iemand jou behandelt, kun je drastisch veranderen door je eigen reactie te veranderen. Als iemand jou slecht behandelt, is dat meestal omdat hij zich in feite niet goed voelt over zichzelf. De oplossing is dan simpel: geef hem wat hij voor zíjn gevoel nodig heeft en hij zal jou koesteren als zijn grootste schat. Dat kan je bereiken door middel van een of meer van de volgende sleutelzetten.

Voorbeeld: Je schoonmoeder doet niets dan je kleineren en dwarszitten.

Sleutelzet 1: Toon oprechte belangstelling

Deze zet heeft een verbazingwekkende kracht. Als je, zodra je je schoonmoeder ziet, met een brede lach en een oprechte blijk van vreugde naar haar toe komt, voelt zij zich de koning te rijk, bemoedigd, welkom en geacht. Op haar beurt zal zij jou daar veel waardering voor tonen. Als ze daarentegen het gevoel krijgt dat het voor jou een corvee is om bij haar te zijn, dan vreet dat aan haar zelfwaardering en aan jullie band. Als je met haar praat, geef haar dan je volle aandacht, zit niet ondertussen te lezen of televisie te kijken of met je aandacht ergens anders.

Sleutelzet 2: Toon achting

Heeft iemand op wie je niet speciaal gesteld was jou wel eens een groot compliment gegeven? Of heeft zo iemand jou, blijkbaar uit respect voor je mening, wel eens om advies gevraagd? Als zoiets gebeurt, hebben we de neiging ons idee over zo iemand te herzien en in gunstige zin aan te passen. Als we hem maar een sufferd bleven vinden, was het dus ook maar toeval dat hij juist ons om advies vroeg. Dan passen we onze eerdere mening over hem liever aan en bedenken we dat hij ten slotte toch nog zo gek niet is.

Dit staat bekend als de wederzijdse genegenheid. Wij hebben de neiging iemand te gaan bewonderen, respecteren en aardig te vinden als we horen dat hij juist dat soort gevoelens voor ons koestert.

Sleutelzet 3: Geef steun

Als bijvoorbeeld je zuster een fout maakt, laat haar dan weten dat dat iets is wat iedereen had kunnen gebeuren en dat ze het zichzelf niet zo kwalijk moet nemen. Ga niet te gauw kritiseren en veroordelen. Dat lokt alleen maar afweer en bekvechterij uit. Het is niet verdienstelijk of nuttig als jij gelijk hebt of bewijst dat je slimmer bent dan zij. Daar bereik je niets mee. Maar je bereikt wel iets door medeleven en steun te tonen; namelijk een fantastisch goede verstandhouding.

Sleutelzet 4: Laat de ander weten dat je hem waardeert
Het is verbazingwekkend, maar in allerlei verschillende relaties lijken mensen alleen maar iets vriendelijks tegen elkaar te zeggen als ze eerst iets verkeerd gedaan hebben. Loop daar van tijd tot tijd eens op vooruit. Een vriendelijk woord op je spaartegoed is meer dan tien woorden achteraf.

Sleutelzet 5: Laat een ander jou iets geven
We denken vaak dat mensen ons aardig zullen vinden als we iets aardigs voor hen doen, maar in werkelijkheid gaat iemand juist meer om je geven nadat hij iets heeft gedaan voor jou. Dat heeft een paar redenen. (1) Als we ergens – in dit geval in een persoon – tijd, energie en aandacht hebben gestoken, komen we hem nader en voelen we ons meer met hem verbonden. (2) Als iemand iets van ons aanneemt, versterkt dat ons gevoel dat wij het initiatief hebben en van onszelf uit handelen. (3) Ten slotte brengt iets voor een ander doen het psychologische verschijnsel op gang dat cognitieve dissonantie (tweestrijdig inzicht) wordt genoemd en waardoor we deels onbewust een gunstige indruk van de ander krijgen. Anders zouden we immers iets hebben gedaan voor iemand waar we niet om geven. Dus concluderen we dat de ander onze investering waard was.

TECHNIEK 2: AFRICHTEN

Iemand zal jou behandelen zoals je hem africht. Als je hem niet laat weten dat een bepaald gedrag onaanvaardbaar is, kan hij zeggen en doen wat hij maar wil. Vaak probeert iemand ook uit hoever hij kan gaan. En als jij niet voor jezelf opkomt, duld je in feite zijn gedrag. Als hij iets doet wat jij niet passend of respectvol vindt, moet jij hem dat zeggen. Hoe je dat doet, maakt nu net het grote verschil, zoals uit het volgende blijkt.

*Voorbeeld: Jij wilt dat je collega Wilma je niet
meer afbekt.*

Waar iedereen bij is roept Wilma dat jij je werk slecht doet. Weersta de verleiding om meteen wat terug te zeggen, want dan zal ze voet bij stuk houden om haar gezicht te redden. Bij de eerstvolgende gelegenheid zeg je haar onder vier ogen bijvoorbeeld: 'Wilma, ik ben er zeker van dat je het niet meende, maar je moet wel weten dat wat je zei krenkend was.' Ze zal zich dan verontschuldigen of haar houding verdedigen. Als ze zich verontschuldigt, zeg dan dank je wel, glimlach en zeg dat je haar verontschuldiging waardeert.

Als Wilma zich gaat verdedigen, zal ze waarschijnlijk zeggen dat je te gevoelig bent of dat ze je alleen maar heeft willen helpen. Ga daar niet tegenin. Zeg gewoon: 'Je had vast wel een goede reden, maar voor mij was het krenkend.' Einde gesprek. Je hoeft haar niet te zeggen het in de toekomst niet nog eens te doen. Als dat toch gebeurt, spreek haar dan gewoon nog eens op dezelfde manier aan. Twee of drie van die gesprekken en ze zal met haar onbeleefde manieren ophouden.

TECHNIEK 3: DE SLIMSTE ZIJN

Zoals gezegd; iemand behandelt jou slecht omdat hij dat moet. Of het een kind van tien op de speelplaats is of een collega van vijftig op het werk, hij of zij is iemand die zichzelf niet mag en dat dan op jou afreageert. Je kunt dan een paar dingen doen. Je kunt veranderen hoe hij over zichzelf denkt, je kunt veranderen hoe hij over jou denkt en je kunt het gevoel wegnemen dat hij krijgt als hij joú afbekt. In dat laatste geval kan hij nog wel de behoefte voelen, maar geef jij hem geen voldoening meer. Met *techniek 3* zul je die voldoening bij hem wegnemen. Het werkt, en snel. Je doet het door zijn macht weg te nemen, zoals de volgende voorbeelden laten zien.

> *Voorbeeld: Jason wil dat Marvin, de pestkop van
> de schoolkantine, ophoudt met altijd hem eruit
> te pikken.*

Het tafereel is altijd hetzelfde. De bullebak komt op Jason af als er mensen bij staan, pakt zijn lunch af en giet zijn melk weg. Om dat te veranderen kan Jason, als de pestkop weer op hem afkomt, een van de volgende dingen doen.

Zeggen: 'Moet je kijken allemaal, daar komt Marvin de pestkop. Kijk eens hoe groot hij is, omdat hij groter is kan hij mijn melk uitgieten. Goed hè!'
Zelf voor Marvins neus zijn melk uitgieten.

> *Voorbeeld 2: Shirley wordt op de speelplaats altijd*
> *door Alice geplaagd.*

Gemene Alice komt elke dag op Shirley af om haar waar haar vriendinnen bij zijn te bespotten. Shirley moet nu de machtsverhouding veranderen door het initiatief te nemen, bijvoorbeeld door te zeggen: 'Kijk daar komt Alice. Aandacht geven, allemaal, want die krijgt ze thuis niet genoeg. Kom maar Alice. Kom me maar weer pesten.' Nu heeft Alice als het ware toestemming gekregen om gemeen te zijn. Dat neemt haar de wind uit de zeilen en na nog een paar van zulke zinnen vindt ze er niets meer aan om Shirley te plagen.

Deze voorbeelden gaan over jongeren, maar de psychologie kan net zo goed en succesvol en met grotendeels dezelfde woorden bij volwassenen worden toegepast.

Samenvatting van de strategie

Toon enthousiasme voor iemand en geef hem daardoor een gevoel van geruststelling, van aanvaard en geacht te zijn en hij zal er op zijn beurt veel waardering voor tonen dat je hem zo'n gevoel geeft.

Toon respect, het is heel moeilijk een hekel te hebben aan iemand die ons niet alleen mag maar ook nog respecteert.

Als iemand iets verkeerd doet, laat hem weten dat iedereen zo'n fout kon maken en dat hij het zichzelf niet al te veel kwalijk moet nemen.

Het is verbazingwekkend, maar in allerlei verschillende relaties lijken mensen alleen maar iets vriendelijks tegen elkaar te zeggen als ze eerst iets verkeerd hebben gedaan. Toch is een aardig woord op het spaartegoed meer waard dan tien achteraf.

We denken vaak dat mensen om ons zullen geven als we aardige dingen voor ze doen, maar in feite houden mensen juist meer van je nadat ze iets gedaan hebben voor jou.

Mensen behandelen ons zoals wij ze afgericht hebben. Als iemand je oneerbiedig behandelt, laat hem of haar dan zo vriendelijk mogelijk weten dat het gedrag krenkend was.

Bullebakken roepen omdat hun dat een gevoel van macht geeft. Als je hen steeds een slag voor bent, zullen ze elke keer dat ze je te pakken willen nemen, iets van hun macht verliezen.

Zie voor aanvullende strategieën:
Hoofdstuk 8: Eerste hulp: snel ieders stemming omdraaien
Hoofdstuk 9: De gave van zelfwaardering

24

LAAT IEDEREEN ZICH WAT VAKER VERONTSCHULDIGEN

Of het voor iets belangrijks of voor een kleinigheid is: een verontschuldiging van iemand loskrijgen is zoiets als een kies trekken. Als ook jij zo iemand kent, dan kan je een heel eind meehelpen om iemand van hem te maken die gemakkelijker zijn excuses aanbiedt.

Techniek 1: Onontbeerlijk

Breng die persoon in een goede stemming door hem een heerlijke gebeurtenis in het vooruitzicht te stellen. De vreugde daarover zal hem tijdelijk een groter gevoel van zelfwaardering geven. Dat geeft ook jou als tussenpersoon vaak weer dat extra emotionele zetje dat je nodig hebt. Dit werkt blijvend; hoe vaker iemand zijn excuses maakt, des te gemakkelijker hij het ook zal blijven doen. *Techniek 1* maakt hem tot iemand die bereidwilliger is om zich te verontschuldigen.

Onderzoek heeft aangetoond dat iemand niet graag excuses aanbiedt vanwege de gedachte dat het een goede verstandhouding kan bederven. Deze psychologische hinderpaal is te omzeilen als jij duidelijk maakt dat de ander bereid is te luisteren en van het excuus geen toestand zal maken. Leg gewoon uit dat de behandeling snel en pijnloos is en dat hij daarna weer kan opgaan in dat heerlijke idee/plan of reisje dat je voor hem in het vat hebt.

*Voorbeeld: Nancy wil dat haar man zich bij haar
vader verontschuldigt.*

Nancy kan elke gebeurtenis benutten of er zelfs een verrassing van maken
zolang het maar haar mans aandacht trekt en hem in een goede stemming
brengt. 'Schat, ik heb kaartjes gekocht voor de wedstrijd van vanavond.
Daarna gaan we biefstuk eten in je lievelingsrestaurant.' En een paar tellen
later voegt ze eraan toe:'Ach, doe het voor mij. Vader belt straks op. Zeg alleen maar dat het je spijt en geef hem mij dan weer. Het betekent zoveel
voor hem. Je weet hoe hoog hij je aanslaat.'

Techniek 2: Wakker schudden

Laat iemand zien wat in het leven echt belangrijk is. Neem hem daarom
eens mee naar een ziekenhuis, een verzorgingshuis of zelfs een uitvaartcen-
trum. Veel mensen schijnen op dit spirituele vlak beter te kunnen commu-
niceren dan op het logische of het emotionele vlak en dat werkt vaak uiterst
doeltreffend. Als mensen voor ogen zien dat het leven eindig is, worden zij
meer nadenkend. Ze kijken op een vriendelijker manier en met meer inle-
vingsvermogen naar de dingen, ook naar mensen. En dat is voor jou het
moment om dingen recht te zetten.

*Voorbeeld: Jasmijns vriendin Emily weigert
verontschuldigingen aan te bieden aan een wederzijdse
vriendin die ze beledigd heeft en Jasmijn wil de
vrede tussen hen beiden herstellen.*

Jasmijn kan Emily eens meenemen naar een revalidatiecentrum of een
brandwondencentrum of een ziekenhuis. Daar kunnen ze met andere be-
zoekers en de patiënten praten of alleen maar rondkijken. Als de emotionele druk dan op zijn hoogst is, komt Jasmijn in actie. Bij het verlaten van

het pand geeft ze Emily haar mobieltje en laat haar ter plekke haar vriendin opbellen – of dat in ieder geval beloven te doen.

TECHNIEK 3: RECHT UIT HET HART

Er zijn helaas genoeg mensen die er al hun spaargeld voor zouden geven om vijf minuten te kunnen praten met iemand die nooit meer terugkomt. Van zulke gevallen gaat een dwingende kracht uit en ze roepen bij degene die we willen overtuigen, heel sterke emoties op. Als die zo'n bewogen, hartverscheurend verhaal hoort, zal het hem niet meevallen de emoties die hij al zo lang heeft opgezouten zomaar van zich af te zetten.

> *Voorbeeld: Je wilt dat je vriendin Marcia zich verontschuldigt bij iemand die ze gekrenkt heeft.*

Praat met iemand die niet de kans kreeg zich te verzoenen en voor wie het nu te laat is. Laat Marcia voelen hoe zwaar het schuldgevoel op die persoon drukt. Niet meer in staat zijn dingen recht te zetten is zelfverwoestend. Dat kan Marcia een krachtige reden geven.

TECHNIEK 4: DE KAARTEN OPNIEUW SCHUDDEN

Als je tussen twee mensen vrede wilt stichten, gebruik dan een belangrijke gebeurtenis in hun leven als brug. Of het nu een geboorte of een overlijden is, door zo'n positieve of negatieve gebeurtenis worden de kaarten opnieuw geschud en heb jij een perfecte aanleiding om de bal van het contact opnieuw aan het rollen te brengen.

> *Voorbeeld: Je wilt dat je vader zich bij een jeugdvriend verontschuldigt voor een ruzie van een paar jaar geleden.*

Een reactie – zoals een telefoongesprek, kaartje of cadeautje naar aanleiding van een ziekte, een crisis of een examen – is een van de simpelste en beste manieren om tot verzoening te komen. Op zulke momenten kan de ander gemakkelijker vergiffenis geven, omdat hij dan beseft hoe zinloos het is om vast te houden aan grieven en kwaadheid temidden van de dingen die er in het leven werkelijk toe doen.

Techniek 5: Ideale stappen

Vaak zijn mensen niet zozeer bang om hun excuses aan te bieden als wel dat die misschien grof zullen worden afgewezen. Maak het aanbieden van excuses dus zo gemakkelijk mogelijk. Laat de betrokkene vijf simpele stappen zetten totdat hij de woorden 'Excuses aanvaard!' hoort.

Voorbeeld: Je wilt dat je vriend Brian zich verontschuldigt bij iemand die hij gekrenkt heeft.

Stap 1. Het excuus. Zorg ervoor dat Brian oprecht en eerlijk is en dat hij de schuld en verantwoordelijkheid voor honderd procent op zich neemt. Het is nu niet het moment voor 'wie er is begonnen'. Als Brian de volle schuld op zich neemt, zal de ander zich bijna altijd neutraal gaan opstellen en ook een deel op zich willen nemen.

Stap 2. Zwak de klap voor het ego af. Brian moet de ander laten merken dat wat hij gedaan heeft niet voortkwam uit gebrek aan respect, ook al leek dat misschien zo. Hij moet de ander nog eens zeggen hoezeer hij hem bewondert en respecteert en zich dan apart verontschuldigen voor de daad zelf en voor het gebrek aan achting dat daaruit kon blijken.

Stap 3. Betuig spijt. Brian moet de ander zeggen dat hij slecht gehandeld heeft en hem verzekeren dat het niet weer zal gebeuren.

Stap 4. Toon je eigen pijn. De gekwetste partij moet weten dat het Brian zelf pijn doet, zowel de fout van zijn daden als het verlies van de relatie. In het ideale geval zou de ander Brian kunnen uitleggen hoe het voorval zijn leven veranderd heeft en hoe moeilijk hij het ermee gehad heeft.

Stap 5. Vraag om vergiffenis. Brian moet de ander om vergiffenis vragen. Dat brengt de ander in een psychologische machtspositie en effent de weg om Brians verontschuldiging te aanvaarden.

Ten slotte: probeer van tevoren met de ander te gaan praten en hem erop voor te bereiden zich voor Brians excuus open en ontvankelijk op te stellen. Sommige van de technieken in dit hoofdstuk en het volgende zullen daarbij nuttig blijken.

TECHNIEK 6: IK GEEF TOE DAT HET MIJN SCHULD IS

Onderzoek laat zien dat iemand die verdrietig is zichzelf eerder de schuld geeft van een ernstige ruzie dan als hij in opgeruimde stemming verkeert. In zo'n stemming gaat men er eerder van uit dat het allemaal aan de ander gelegen heeft.

Maar hier zit hem nu net de kneep. Terwijl een verdrietig mens dus eerder de schuld op zich neemt, laat onderzoek ook zien dat juist mensen in een goede stemming eerder hun excuses aanbieden. De goede strategie is dus om iemand eerst bijvoorbeeld mee te nemen naar een droevige film of met hem over droevig nieuws uit de krant te praten en daarna de schuldvraag over de lopende ruzie ter sprake te brengen. Waarschijnlijk volgt er dan eerder een aanvaarding van verantwoordelijkheid. Daarna kan je techniek 1 gebruiken om de ander in een goede bui te brengen, waarin je hem aanmoedigt zijn verontschuldigingen aan te bieden.

Voorbeeld: Je vriendin Brenda heeft zich nooit bij je
moeder verontschuldigd voor de woorden die ze een
tijdje geleden gehad hebben.

Na samen een droevige film gezien te hebben, kom je kalm op de vraag wie er fout was: 'Brenda, over die ruzie met mijn moeder, hoe voel je je over wat je toen zei?' Zodra Brenda beaamt dat ze in ieder geval een deel van de schuld heeft, zeg je hoeveel het voor haar moeder zou betekenen dat van haar te horen. Vlak daarna ga je over op een of ander leuk en opwindend nieuwtje. Opper dan dat Brenda nu even je moeder opbelt om zich te verontschuldigen en dan kunnen jullie samen doorgaan met je leuke gesprek.

Samenvatting van de strategie

Breng iemand in een feestelijke, opgewonden stemming: stel hem iets vreugdevols in het vooruitzicht. Dat zal hem tijdelijk een groter gevoel van zelfwaardering geven en jou als tussenpersoon het emotionele extra zetje dat je misschien goed kunt gebruiken.

Neem iemand mee naar bijvoorbeeld een ziekenhuis of een sterfhuis om hem tot de werkelijkheid terug te brengen, om te laten zien wat in het leven echt van belang is, wat er echt toe doet.

Een persoon in een vergelijkbare situatie is altijd een dwingende kracht, niet alleen vanwege de wet van het sociale bewijs maar ook omdat die krachtige emoties oproept.

Gebruik elke belangrijke gebeurtenis in het leven als een manier om iemand zich te laten verontschuldigen. Een geboorte is bijvoorbeeld de volmaakte gelegenheid om de bal aan het rollen te krijgen en de poort naar contact te openen.

Om de ander gemakkelijker een verontschuldiging te laten aannemen, zou degene die om vergiffenis vraagt de volgende stappen moeten zetten: wees oprecht en eerlijk, zwak de klap voor het ego af, betuig spijt, toon je eigen pijn en vraag om vergiffenis.

In een droevige stemming geven mensen eerder een fout toe dan in een blije stemming. Voordat je iemand vraagt zijn verontschuldigingen aan te bieden, laat je hem dus eerst in een droeve bui de schuld op zich nemen.

Zie voor aanvullende strategieën:
Hoofdstuk 8: Eerste hulp: snel ieders stemming omdraaien
Hoofdstuk 9: De gave van zelfwaardering
Hoofdstuk 25: Verdrijf kwaadheid en maak iedereen meer vergevingsgezind

VERDRIJF KWAADHEID
EN MAAK IEDEREEN MEER
VERGEVINGSGEZIND

Iemand doet ons iets aan en we worden kwaad. Maar waarom? Waarom ant-woorden we met kwaadheid? Kwaadheid is een illusie van controle. We blij-ven kwaad omdat ons dat het gevoel geeft de relatie onder controle te heb-ben. De ander is nu afhankelijk van onze vergiffenis. Kwaadheid is een afweermiddel tegen een gevoel van kwetsbaarheid. Maar uiteindelijk is zij een illusie die geen werkelijke voldoening of blijvende psychologische troost biedt.

Als er iemand in je leven is die kwaad op je blijft, probeer hem dan met de volgende vier psychologische technieken meer vergevingsgezind te maken.

TECHNIEK 1: DE BENADERING

Voordat je met je psychologische goocheltrucs begint te werken, loop je ze puntsgewijs na: hier volgen de richtlijnen hoe je iemand in de ideale toe-stand kunt brengen om een verontschuldiging aan te nemen.

Als iemand in een goede stemming is, zitten vroegere dingen hem niet meer zo dwars als wanneer hij ergens verstoord over is. Als een mens van streek is, kan zelfs de kleinste onaangenaamheid hem doen uitschieten. In een goede stemming is hij opener en ontvankelijker en meer bereid de dingen te herstellen. Maak je verontschuldigingen dus alleen als de ander in een goede stemming is.

Laat de kwade partij weten dat hij de situatie volkomen meester is. Hij kan het gesprek afbreken wanneer hij wil. Niemand gaat hem smeken om te blijven. Hij hoeft van tevoren niets anders te beloven dan te luisteren. Er zijn geen 'toe nou's' of andere pogingen hem te overreden.

De kwade partij moet begrijpen dat ook de ander onder de situatie lijdt. Dat helpt het evenwicht te herstellen. Het is van belang hem ervan te overtuigen dat ook zijn 'vijand' door de eigen wandaad en de daardoor verbroken relatie echt pijn heeft geleden. Als de kwade partij niet gelooft dat de ander het echt erg vindt en eronder lijdt, zal je streven niet lukken.

De kwade partij moet ook weten dat de ander niet alleen veel pijn en spijt voelt, maar ook stappen heeft gezet om zijn gedrag te verbeteren. Dat laat zien dat hij veranderd is. Het is niet genoeg dat hij zich naar voelt, hij moet ook een soort verandering ondergaan, tonen dat hij een ander mens geworden is.

> *Voorbeeld: Je wilt dat Dennis Owen vergeeft dat die*
> *hem in een bar een oplawaai heeft gegeven.*

Als Dennis in een goede stemming is, zeg je hem bijvoorbeeld: 'Owen wil weten of je met hem wilt praten. Hij zou je wat willen zeggen, hij zei dat het maar een minuut hoeft te duren en je kan elk moment opstaan en weggaan. En je moet weten dat hij er erg onder geleden heeft sinds dat gebeurde en dat hij trouwens niet meer drinkt. Hij gaat geen bar meer binnen.'

TECHNIEK 2: ER NIET BETER VAN GEWORDEN

Belangrijk is dat Dennis hoort dat Owen van zijn daad geen plezier, profijt of ander voordeel heeft gehad. Owen moet uitleggen dat zijn gedrag niet alleen fout was, maar dat het hem ook niet de verwachte voordelen heeft gebracht. De oplossing ligt immers in het herstel van het evenwicht tussen hen beiden (en dat kan zowel op het persoonlijke als op het beroepsvlak liggen). Als Owen op de een of andere manier voordeel had behaald, zou hij nu ook meer moeten 'teruggeven' om dingen weer recht te zetten. Als hij nu – emotioneel, financieel of anderszins – zonder profijt of voordeel iets kon investeren, komt dat het herstel van het evenwicht ten goede.

Voorbeeld: Irene heeft zonder haar vaders
toestemming diens auto 'geleend' en toen de bumper
beschadigd.

Irene moet de auto meteen laten herstellen of voor de reparatie betalen. Ze moet voor haar daad zo veel mogelijk verantwoording nemen. Op alle mogelijke manieren moet ze het evenwicht herstellen: dat betekent dat ze moet opgeven wat ze erdoor gewonnen heeft. Als ze de auto bijvoorbeeld gebruikt heeft om iets te gaan kopen, moet ze dat gaan terugbrengen. Alles moet teruggedraaid worden.

TECHNIEK 3: GOED VOOR JEZELF

Zelfs louter egoïstisch gezien is het goed voor ons het negatieve van het verleden te laten schieten. Relaties zijn de hoeksteen van onze geestelijke gezondheid en verzuurde relaties zijn een lek in ons emotioneel, geestelijk en lichamelijk welzijn. Laat de kwade partij weten dat het – of hij al of niet gelijk denkt te hebben – goed voor hem is om te vergeven. Onderzoek toont duidelijk aan dat iemands algemene gevoelsmatige en lichamelijke gezondheid vooruitgaat door de simpele daad van de ander vergeven, zowel als dat gebeurt om de pijn van de kwetsende partij te doen afnemen als om het eigen gemoed te bevrijden van een last.

Sterke mensen kunnen vergeven, terwijl zwakken zich aan hun kwaadheid en bitterheid moeten vastklampen om een broos ego te voeden en te strelen. Zoals al gezegd nagelt woede ons vast en geeft die ons de illusie dat we de toestand meester zijn. Maar in feite zijn het de zwakken die kwaadheid nodig hebben. Kwaadheid is uiteindelijk een vals gevoel en voedt alleen ons ego terwijl het onszelf ontwaardt.

> *Voorbeeld: Een geestelijke wil Jeanne helpen haar vader te vergeven voor misbruik, ook al is die gestorven.*

Het is duidelijk dat niets wat Jeanne doet de relatie nog kan veranderen. De therapeut hoeft haar, terwijl ze aan haar vader denkt, alleen maar de woorden 'Ik vergeef je' te laten uitspreken. Als ze dat kan, zal heel haar levenshouding zijn veranderd. Je hoeft niet te begrijpen waarom iemand deed wat hij deed om die persoon vergiffenis te schenken. Het doet er vaak zelfs niet toe.

Of de misbruiker zelf ooit misbruikt is, aan een geestesziekte leed of alcoholist was, is nauwelijks van belang. Jeanne schenkt hem geen vergiffenis om hem maar om haarzelf.

Omdat vergiffenis niet haar vaders gedrag verontschuldigt, kan ze het verleden laten waar het hoort – namelijk achter zich. Zelfs als ze de woorden niet meent, zal ze na die woorden vijftig keer per dag voor zichzelf oprecht te hebben herhaald, ten slotte de zin, betekenis en waarheid ervan omhelzen. Onderschat de waarde van deze techniek niet. Dit soort uitspraken kunnen een machtig wapen zijn in veranderen hoe je je voelt.

TECHNIEK 4: TOVERKUNST

Misleiding, het voornaamste beginsel bij de meeste goocheltrucs, is de kunst om de aandacht van het publiek naar een bepaald punt af te leiden terwijl de goochelaar ongemerkt de zaak manipuleert.

We weten hoe goed dat werkt bij kinderen. Hun geroep, geschreeuw en verontwaardiging maken plaats voor gefluister en dan voor verrukt gegil als er een lolly tevoorschijn komt. Voor volwassenen is natuurlijk meer nodig, maar de psychologie is dezelfde. Biedt iemand iets aan, daardoor leid je zijn aandacht af en kun je hem er gemakkelijker van overtuigen om vergiffenis te schenken.

Als je de ander voor het eerst oppert om vergiffenis te schenken, bied je hem iets aan, misschien iets om meteen te ontvangen, iets waar hij zijn aandacht op kan richten. Wat dat het best kan zijn, wordt bepaald door de relatie tussen de betrokkenen en hun leeftijd.

Voorbeeld: Xavier wil dat Jill zijn excuses aanvaardt.

Volgens de voorgaande richtlijnen zou Xavier bijvoorbeeld moeten zeggen: 'Jill, ik weet dat je me geen vergiffenis hoeft te schenken, maar ik wil je toch deze kaarten voor de voorstelling aanbieden. Denk er eens over na en neem je tijd; ik begrijp je wel.' Als Jill de kaarten aanneemt, heeft Xavier veel meer kans dat ook zijn verontschuldigingen aanvaard worden. Dat komt niet alleen doordat Jill de kaartjes waardeert en dat de wet der wederzijdse overreding zich doet gelden, maar ook doordat ze nu vooral aan de voorstelling denkt en niet zoveel kwaadheid meer voelt.

Samenvatting van de strategie

Beslissend is om het idee op de goede manier aan te kaarten. Doe dat wanneer de betrokkene in een prettige stemming verkeert. Laat hem weten dat hij meester van de situatie is en dat de ander ook veel pijn heeft.

Laat hem ook weten dat de ander uit zijn daden geen enkele vreugde, winst of welk voordeel dan ook behaald heeft. De oplossing ligt in een herstel van het evenwicht – persoonlijk of beroepsmatig.

Verzuurde verhoudingen doen veel lichamelijke, geestelijke en emotionele kracht weglekken. Vertel de betrokkene dat of hij nu al of niet in zijn gelijk denkt te staan, het voor zijn gevoelsleven goed is om vergiffenis te schenken.

Iemand zal eerder vergiffenis schenken als zijn aandacht verdeeld is tussen zijn kwaadheid en iets prettigs. Richt zijn aandacht op dat andere en je verzacht zijn standpunt.

Zie voor aanvullende strategieën:

Hoofdstuk 9: De gave van zelfwaardering

Hoofdstuk 24: Laat iedereen zich wat vaker verontschuldigen

26

MAAK IEDEREEN MEER GEÏNTERESSEERD IN ALLES

Jij houdt van opera en zij houdt van ijshockey. Zij wil steeds maar uitgaan en jij blijft liever thuis. Wat het ook is – van fitnesstraining tot huiselijkheid tot tochtjes maken – alles wat jij graag doet kun je ook haar leuk laten vinden. De volgende psychologische strategieën kunnen je daarbij redden.

TECHNIEK 1: HET IS NET ZOALS DAT ANDERE

Denk eens aan iets waar je een hekel aan hebt. Goed mogelijk dat je daar ook maar weinig van afweet. Van de dingen die we graag doen, weten we vaak juist veel. Hoe meer iemand ergens van weet, des te groter de kans dat hij ervan gaat houden. Wie een hobby heeft, weet dat hoe meer je erin ontdekt en hoe meer kanten en nuances je ervan onderzoekt, des te sterker je ervan in de ban raakt.

Als je dus iemands belangstelling – bijvoorbeeld voor tuinieren – wilt wekken, laat hem er dan zo veel mogelijk over leren en er liefst dingen in ontdekken waar hij in ander verband al van houdt.

Voorbeeld: Marga wil dat haar vriend Frank meer
belangstelling voor opera krijgt.

Frank is gek op autoraces, maar haat opera. Wat hij in die races zo machtig vindt, is de wedijver, de snelheid, het gevaar. Dus laat Marga hem, zo goed

als ze kan, zien dat sommige van die punten ook in de opera voorkomen –
en zo gaat Frank ook daar vanzelf meer in zien.

Marga zou hem bijvoorbeeld duidelijk kunnen maken dat er om een
hoofdrol soms geconcurreerd wordt door wel duizenden zangers, dat
honderden opera's wedijveren om ooit uitgevoerd te worden, dat veel
opera's sterfscènes hebben en dat topzangers meer geld verdienen dan
popsterren. Weinig dingen staan zo ver van elkaar af als autoraces en
opera, maar als Frank vooral kan denken aan de punten die die twee zaken toch nog gemeen hebben, zal zijn interesse voor de opera in ieder geval toenemen.

TECHNIEK 2: DAN MOET IK HET DUS WEL LEUK VINDEN!

Uit onderzoek blijkt een fascinerend verband tussen beloning en opvatting.
Twee groepen mensen kregen onder precies gelijke omstandigheden dezelfde taak te verrichten, maar de ene groep kreeg er honderd dollar voor
en de andere vijfentwintig. De mensen die honderd dollar hadden gekregen, beschouwden de taak als moeilijker en zwaarder dan degenen die vijfentwintig dollar hadden gekregen. Als iemand ergens geld voor krijgt, gaat
hij het werk zelf vaak moeilijker en minder aangenaam vinden. En hoe hoger de beloning, des te meer iemands zin en belangstelling afnemen.

Als we iets willen doen waar we niet voor betaald worden of een andere
soort vergoeding voor krijgen, dan gaan we het onbewust leuk vinden –
waarom zouden we het anders doen? We denken liever niet dat we bij onze
keuze om het te doen een fout gemaakt hebben.

Pas op; dat geldt alleen als de persoon – uit minstens twee mogelijkheden – zelf voor de taak gekozen heeft. Als hij de taak moést doen, reageert
hij juist andersom: hoe lager de beloning, des te naarder hij de taak vindt.
Dus: als hij er zelf voor gekozen heeft, moet hij die keuze rechtvaardigen en
hij gaat er dan onbewust van uit dat hij het leuk vindt omdat hij het niet om
de beloning doet. Wie daarentegen geen keus had, vindt het alleen maar

vervelend dat hij het doen moet en dat iemand anders meer geld verdient of hijzelf te weinig.

> *Voorbeeld: Een vader wil dat zijn dochter eens nieuw*
> *en ander eten probeert.*

De vader kan het meisje beloven dat als ze twee avonden achter elkaar kip wil eten, ze op de eerste avond een lekker toetje krijgt. Als het meisje op de tweede avond de beloning allang in haar maag heeft en met tegenzin op haar kip zit te kauwen, zal ze voor zichzelf toch redeneren dat die kip lekker is: ze eet die immers niet om een beloning. Goed, ze heeft voor het opeten van de kip een toetje gekregen, maar daar heeft ze nu niets meer aan en juist dat vormt het grootste stuk van de psychologische kracht van het geen beloning krijgen.

Als het kind een gewone manier van beloning was aangeboden – na een kip steeds een lekker toetje – dan had ze het idee dat ze steeds het eerste at om het tweede te krijgen. Maar als ze de tweede avond kip moet eten zonder beloning, omdat ze daarin heeft toegestemd, moet ze haar idee over die kip onbewust zodanig bijstellen dat ze die lekker vindt. Waarom zou ze anders toegestemd hebben ook die nog te eten, hoewel de smaak van het eerdere toetje allang verdwenen is?

TECHNIEK 3: MAAK HET ZO GEMAKKELIJK MOGELIJK

Als we iets gaan doen wat we graag doen, kunnen details ons niet zoveel schelen, maar als het om iets gaat wat we niet graag doen, staan we bij iedere bijzonderheid stil. Als je iemand wilt veranderen, moet je hem dus laten zien dat het simpel en gemakkelijk gaat.

Als je een bepaald gedrag – bijvoorbeeld lichaamsbeweging – wilt bevorderen, leg er dan de nadruk op dat het lekker snel en gemakkelijk gaat. Als je het wilt ontmoedigen, stel het dan juist als langdurig, vervelend en moeizaam voor. Het gaat om hetzelfde, maar al naar gelang de voorstelling, roep je een volkomen andere reactie op.

> *Voorbeeld: Angelique wil dat haar man beter eet en*
> *meer aan lichaamsbeweging doet.*

Angelique ziet dat gezond eten, zoals fruit en groente, gewassen, gesneden en panklaar te koop is, net als sportkleding. Angelique moet haar man bij elke gelegenheid aanmoedigen: 'Waarom loop je niet even een paar rondjes op de sintelbaan van de school?' of 'Als je elke ochtend eerst twintig minuten gaat joggen, breng ik je wel met de auto naar je werk'. Zulke zinnetjes lijken voor de hand te liggen, maar let op de manier van zeggen. Die is heel anders dan: 'Als je nou eens 's ochtends in plaats van steeds weer in te slapen dat luie lijf je nest uithaalt en naar een sportschool sleept om die kilo's eraf te halen die je er weer eens bijgegeten hebt.' Niet erg aanmoedigend, vind je ook niet?

Techniek 4: Opwekking

Heb jij je wel eens zo zitten te vervelen dat je zelfs nog blij was met het telefoontje van een verkoper, ook al wilde je absoluut niets van hem kopen? Zo verschrikkelijk zitten te vervelen dat je alles zou doen om er even uit te zijn, al was het maar meerijden met een vriend die boodschappen deed?

Hoe breng je zo iemand tot activiteit? De opwekkingsmethode gaat ervan uit dat mensen een gemiddelde mate van activiteit proberen vast te houden. Als iemands energie te groot wordt, zal hij die proberen te verminderen. En als hij te weinig stimulans heeft, zal hij die proberen te vergroten. Zelfs de luiste mensen kunnen dus van niets doen genoeg krijgen. Om uit *techniek 4* zo veel mogelijk resultaat te halen, combineren we die met de theorie van de waarde der verwachting. Die zegt in grote trekken dat iemand meer tot handelen geneigd is als hij denkt daar iets mee te zullen bereiken.

Voorbeeld: Lou wil zo maar dat zijn kleinzoon in de
zomer meer kennis van het familiebedrijf opdoet
in plaats van niets te doen.

Lou wacht totdat zijn kleinzoon weinig om handen heeft, zodat die een stimulans voelt om iets, wat dan ook, te gaan doen. Dan doet Lou hem een voorstel. Hij vraagt hem bijvoorbeeld of hij de volgende week tegen een bepaalde vergoeding in de zaak wil komen werken.

Omdat Lou het zijn kleinzoon vraagt op het moment dat die niets te doen heeft, is er een goede kans dat het antwoord positief uitvalt. Als hij al iets aan het doen was, is het beter om hem niet ook nog voor dit baantje te vragen. Dat Lou hem een vaste beloning biedt in plaats van een provisie of bijvoorbeeld te zeggen: 'We kijken wel hoe je het ervan afbrengt', zal voor de kleinzoon een extra reden zijn om ja te zeggen.

Samenvatting van de strategie

Als je wilt dat iemand van een bepaalde activiteit gaat houden, noem je bepaalde punten daaruit en laat je hem zien dat die dezelfde zijn als bij iets waar hij al van houdt. Dan krijgt hij ook belangstelling voor dat andere.

Uit onderzoek blijkt dat we iets met meer plezier doen als we er niet voor beloond worden.

Maak het iemand zo gemakkelijk mogelijk om op gang te komen en help hem op gang te blijven.

Combineer twee krachtige motieven: vraag iemand iets op het moment dat hij niets te doen heeft en bied hem voor dat werk een duidelijk omschreven loon of voordeel aan.

Zie voor aanvullende strategieën:
Hoofdstuk 9: De gave van zelfwaardering
Hoofdstuk 10: Zo vernietig je zelfvernietigend gedrag
Hoofdstuk 13: Verander op elk moment iemands gedachten en stop zijn hardnekkigheid
Hoofdstuk 15: Zo maak je van een luiwammes een eerzuchtige doorzetter

27

STOP ONDERHUIDS AGRESSIEF GEDRAG BIJ IEDEREEN

Een bepaalde vrouw is niet in staat om rechtuit tegenstellingen aan te gaan en 'pakt je' dus indirect terug door je schijnbaar argeloos narigheid of ongenoegen te berokkenen. Als jij ook iemand in je leven hebt die je gek maakt met haar onderhuids agressieve gedrag, gebruik dan de volgende technieken om die persoon tot openheid en praten te brengen in plaats van tot heimelijke woede en samenzweren.

Techniek 1: Omkeren, omkeren: de omkeerpsychologie

Vraag iemand om raad op precies dat punt waarop hij het je zo moeilijk maakt. Daar zit een tweeledige psychologie achter. Ten eerste investeert hij nu iets, maar ten tweede wil hij ook dat zijn investering rente afwerpt en dat kan alleen als dingen voor jou nu verder goed gaan. Als hij je het leven zuur blijft maken, kun je door spanning en onrust slecht gaan werken – en dan wordt zijn raad waardeloos. We willen allemaal ons gelijk halen en zo zal hij de dingen voor jou zo gemakkelijk mogelijk proberen te maken, zodat zijn 'wijsheid' vruchten afwerpt.

Voorbeeld: Christina, een afdelingsmanager,
heeft een secretaresse, Della, die de stukken vaak
verkeerd aflegt.

Christina kan Della vragen een beter opbergsysteem te bedenken. Maar als dat er is, bewijst het zijn nut alleen als Christina niet steeds naar stukken hoeft te zoeken. Della zal nu niet alleen ophouden met haar sabotage, ze zal zelfs haar best gaan doen het Christina zo gemakkelijk mogelijk te maken. Hoe minder tijd Christina nu kwijt is met zoeken, des te beter is immers Della's nieuwe systeem.

Als er iets niet goed zit

Als iets je hindert of als iemands manier van doen je dwars zit of ergert, praat erover; laat het niet doorwoekeren en daardoor nog erger worden dan het al is. Je gevoelens voor je houden is zelden goed voor een relatie of voor jezelf. Een paar richtlijnen hoe je je zorgen ter sprake kunt brengen: wacht eerst 24 uur voordat je wat zegt; spreek de ander niet aan als jij of de ander in haast of een slechte stemming verkeert en omkleed wat je te zeggen hebt niet met beschuldigingen.

TECHNIEK 2: MAAK HET IEMAND GEMAKKELIJK

Maak het een ander zo gemakkelijk mogelijk om te praten over dat wat haar dwarszit. Ze zal je niet langer stiekem hoeven te raken als ze haar grieven rechtstreeks tegen je kan uitspreken, hoewel dat laatste voor haar wel moeilijk kan zijn. Zet dus een plan in werking dat haar ertoe zet om jou iedere dag te vertellen wat haar dwarszit. Op die manier went ze eraan om zonder dreiging te zeggen wat ze op haar hart heeft. Als ze dat ongemakkelijk vindt, vraag haar dan haar grieven op te schrijven. Je zult erover nadenken en ze met haar toestemming samen bespreken.

Voorbeeld: Larry voelt dat zijn vrouw Lois onder-
huids agressief tegen hem is en dat ze niet met hem wil
of kan bespreken wat haar hindert.

Larry vraagt (niet: zegt) Lois om elke dag, of wanneer zij wil, vijf minuten of langer op te schrijven wat ze naar vindt, en dat aan hem te geven. Larry gaat dat niet bespreken of bekritiseren of zichzelf verdedigen. Hij bedankt haar alleen dat ze zo eerlijk is. In korte tijd zal Lois geleerd hebben met onaangename dingen om te gaan. Op een moment dat ze allebei ontspannen zijn en de tijd hebben, zouden ze samen kalm Lois' aantekeningen kunnen nalezen en bespreken wat ze eraan kunnen doen.

TECHNIEK 3: LATEN ZIEN

Deze techniek maakt het iemand bijna onmogelijk stiekem agressief tegen je te blijven doen. Eerst maak je zijn gedrag openbaar door te zeggen dat je best weet wat hij heeft gedaan en dan vertel je ook nog dat je weet waarom en dat je dat volkomen begrijpt. De truc is om een andere reden te noemen dan stiekem agressief gedrag.

Voorbeeld: Horace heeft een vriend, Wallace, die hem vaak in het openbaar belachelijk maakt.

Of Horace zijn vriend al eens gezegd heeft daarmee op te houden, doet er niet toe. Wat hij nu zegt is: 'Wallace, ik snap waarom je mij waar iedereen bij is op de hak neemt. Je denkt dat de mensen mij eigenlijk aardiger vinden en daarom zeg je dingen om jezelf beter te laten lijken en mij slechter. Daar kun je niks aan doen, al zou je het willen.'

Wallace ontkent dan natuurlijk zijn gedrag of zijn beweegredenen of allebei. Horace gaat daar meteen op in en zegt: 'Sorry als ik je gekwetst heb. Niet meer over hebben.' Maar als Wallace Horace nu opnieuw belachelijk maakte, zou hij erkennen dat Horace toch gelijk had – en dat zal zijn ego niet toelaten.

Techniek 4: Overtroeven

Waar iemand je ook mee dwarszit, maak het erger. Dat maakt de omstandigheden voor hem ongunstiger, zodat je hem ertoe brengt een wapenstilstand te zoeken en naar een middenpositie op te schuiven. Je kunt dat op twee manieren doen: (1) Je verklaart dat tenzij hij zijn deel van het werk doet, jij niet langer het jouwe doet, of (2) je bewijst hem een onderhuids agressieve wederdienst en gaat zonder iets te zeggen over tot actie. Die zal hij op een bepaald moment ter sprake brengen en dan krijg je een zinvollere discussie, omdat hij net zoveel lijdt als jij. *Techniek 4* moet alleen gebruikt worden indien noodzakelijk, omdat die de bestaande wrijving in het begin nog groter maakt.

Voorbeeld: Mary's man Bernard ruimt ondanks
herhaald verzoek nooit zijn rommel op.

Mary zou gewoon in staking moeten gaan en ophouden nog de was, de afwas en de rest van het huishouden te doen die ze normaal doet. Als Bernard iets laat liggen, moet zij nog meer laten liggen. Niet alleen kan hij haar nu niet meer raken, maar hij is ook slechter af.

Techniek 5: Terugkaatsen

Je broer zit je dwars omdat hem dat een soort emotionele voldoening geeft. Maar als dat altijd op hemzelf lijkt terug te slaan en hij uiteindelijk dus zichzelf pijn doet in plaats van jou, zal het gauw afgelopen zijn met zijn gedrag. Ook al gaat zoiets meestal onbewust, als hij geen succes boekt, houdt hij uit zelfbehoud vanzelf op.

Voorbeeld: Madeleine's collega, Draak, doet allerlei
nare dingen: hij eet van haar lunch en schrijft
berichten verkeerd op.

Wat Draak ook doet, Madeleine maakt duidelijk dat hij niet haar maar zichzelf treft. Bijvoorbeeld:

Draak eet van haar slaatje dat in de ijskast stond. Madeleine zegt: 'O, ik wilde het net terugbrengen, er zaten wormpjes in.'

Draak 'vergat' Madeleine te melden dat er een vergadering van vertegenwoordigers was. Madeleine: 'O, ik wou net je nieuwste idee pikken. Nou ja, dat doe ik dan de volgende keer wel.'

Draak morst koffie op Madeleine's tafel. Later zegt die: 'Ik had net iets voor je uitgeprint, maar dat is nu nat geworden. Jammer.'

Draak schrijft een telefonische bestelling verkeerd op. Madeleine zegt: 'Ik barst net van het werk, dus ik dacht dat we die bestelling hadden kunnen opsplitsen, maar dat doen we dan maar met een andere.'

Samenvatting van de strategie

Vraag een saboteur om hulp bij iets waar je moeilijkheden mee hebt. Om met zijn advies gelijk te krijgen, zal hij nu niet alleen ophouden je te saboteren, maar je zelfs het leven gemakkelijker maken.

Bied iemand een emotioneel veilige weg om ter sprake te brengen wat hem hindert; later kun je hem bijscholen hoe hij moet reageren op negatieve situaties.

Breng iemands gedrag in het openbaar ter sprake, maar geef er een andere reden voor. Elke keer dat hij er weer in vervalt, bewijst hij jouw gelijk en dat zal zijn ego niet toelaten.

Door het conflict erger te maken, noodzaak je iemand een wapenstilstand te zoeken en naar het emotionele midden op te schuiven.

Als wat iemand ook probeert altijd een weerslag op hemzelf lijkt te hebben en hij er zichzelf pijn mee doet in plaats van jou, zal hij zijn manier van doen gauw veranderen.

Zie voor aanvullende strategieën:
Hoofdstuk 9: De gave van zelfwaardering
Hoofdstuk 23: Zo leer je iedereen meer achting
Hoofdstuk 28: Verander de eeuwige laatkomer

VERANDER DE EEUWIGE
LAATKOMER

Als er iets is waar Evelien om bekend staat, dan is het wel dat ze altijd te laat komt. Ze bedenkt het ene excuus na het andere, maar soms neemt ze zelfs die moeite niet. Om Evelien te veranderen, gaan we verscheidene psychologische technieken toepassen.

Constant te laat komen heeft meestal onbewuste redenen. Een ervan is dat iemand als Evelien alles onder controle wil hebben. Anderen laten wachten plaatst haar in een machtspositie, ook al gaat het om niet meer dan een vergadering of een diner. Als ze echter ook te laat komt in situaties dat ze er alleen zelf last van heeft – bijvoorbeeld voor de vlucht naar haar vakantiebestemming of voor een filmvoorstelling – heeft ze misschien gewoon een 'zwak tijdsbesef'. Sommige mensen 'voelen' tijd gewoon anders aan. Evelien is misschien niet in staat haar tijd goed in te schatten en in te delen en kent aan een taak vaak minder tijd toe dan dat zou moeten of laat zich eindeloos afleiden.

Als je het los van deze redenen beu bent op iemand te moeten wachten, gebruik dan de volgende psychologische technieken om hem op tijd te laten komen – altijd.

Techniek 1: Er zelf voor opdraaien

Als je iemand komt afhalen voor iets wat voor hem belangrijk is, zou je zijn gedrag als volgt kunnen veranderen. Je zegt van tevoren dat je een redelijke tijd wilt wachten, maar dat je daarna alleen gaat. Einde discussie. Dat is niet wreed of koud, maar gewoon een kwestie van noodzaak. Jij wilt op tijd zijn. Het liefst met hem samen, maar als hij zich niet aan de afgesproken tijd houdt, dan maar alleen.

> *Voorbeeld: Altijd als je met je vriendin Viviane*
> *uitgaat, laat ze je wachten.*

Je zou bijvoorbeeld kunnen zeggen: 'Viviane, we nemen je graag mee naar de film, maar we willen niet te laat komen. Om vijf over half vijf zijn we bij je flat en ik bel je als we voor de ingang staan. Als je om tien over half vijf niet beneden bent, rijden we door.' Nu is het dus niet meer zo dat Viviane jou kan ergeren, maar dat zij de kans loopt de film te missen. En los van allerlei onbewuste redenen: als ze echt op tijd moet zijn, kan ze dat heus wel.

Even vóór het hele uur

Spreek een ongewoon tijdstip af. Niet 9.00 uur maar bijvoorbeeld 8.57 uur. Onderzoek wijst uit dat mensen zo'n ongewone tijd beter onthouden en als belangrijker ervaren. Bovendien gaat men ervan uit dat als een vergadering op een afgerond tijdstip gepland is, bijvoorbeeld negen uur, zij in werkelijkheid toch pas rond tien over negen zal beginnen. Een niet rond tijdstip geeft meer het idee dat dat dan ook wel de precieze begintijd zal zijn.

TECHNIEK 2: TIJDGEVOEL BIJSCHOLEN

Een prima manier om het probleem op te lossen is de ander te herscholen in het inschatten van tijd. Als hij de voor een taak benodigde tijd steeds onderschat, kun jij hem leren hoe lang iets echt duurt. Als zo iemand bijvoorbeeld zegt dat hij over vijf minuten bij je langskomt, klopt dat waarschijnlijk niet. Leer hem echt en eerlijk met tijd om te gaan.

Zo'n herscholing gaat niet van de ene dag op de andere, maar iemand kan wel in 'tijdbewustzijn' worden getraind. Deze techniek wordt met goed gevolg toegepast in tijdbeheersingscursussen, waar mensen zwart op wit zien hoeveel tijd ze verspillen en ze hun dagindeling beter leren plannen.

Voorbeeld: Je vrouw Dora is nooit op tijd en laat je
voor alles en nog wat wachten.

Kies een dag waarover je Dora een dagboek laat bijhouden. Zij noteert dan hoe lang ze over dingen doet – van tanden poetsen en ontbijten tot van haar werk naar huis gaan en winkelen. Vervolgens maakt ze voor de dagen erna een inschatting van de tijd die ze nodig heeft voor de dingen die ze heeft gepland. Een paar dagen later gaat ze weer een dagboek bijhouden. Zo blijft ze dat afwisselen, totdat ze in staat is de tijd die ze ergens voor nodig heeft met grote nauwkeurigheid in te schatten.

TECHNIEK 3: SLUIT EEN OVEREENKOMST

Bij deze techniek houd je rekening met andermans gevoeligheid. Op tijd komen is kennelijk heel erg moeilijk voor hem. Als je dat wilt aanpakken, maak dan een keuze. Jij moet op tijd zijn en hij wil niet door tijd gebonden worden. Er is dus een conflict, maar waarom moet jij eigenlijk op alle punten gelijk hebben?

Maak dus een overeenkomst: hij hoeft alleen bij bepaalde gebeurtenissen op tijd te zijn en voor andere dingen mag hij te laat komen. En als hij toch te laat komt als hij stiptheid beloofd had, geldt een boetebeding – ongeacht hoe slim zijn excuus is.

Voorbeeld: Jerry laat zijn vrouw Deborah altijd
op hem wachten.

Deborah en Jerry stellen allebei vast wat voor hen het allerbelangrijkste is en spreken dan af voor welke dingen Jerry absoluut op tijd moet zijn. Als Deborah er bijvoorbeeld stapelgek van wordt om naar de luchthaven te racen, bepaalt zij voor dat geval de tijd van vertrek. Maar als Jerry te laat komt voor een etentje bij vrienden of voor een bioscoopje, mag dat. Deborah wil nu natuurlijk niet dat Jerry toch nog te laat gaat komen in situaties waarin hij dat niet meer zou doen. Als hij dus weer eens niet op tijd is om naar de luchthaven te vertrekken, dan moet hij voor Deborah iets extra's doen (wat ze van tevoren kunnen afspreken).

Techniek 4: Psychologische ankerpunten

Weet je nog wat de Russische bioloog Ivan Pavlov ontdekte? Kort samengevat, dat de honden waar hij proeven mee nam speeksel begonnen af te scheiden zodra hij hun ruimte binnenkwam. Ze hadden ondervonden dat ze dan voedsel kregen. Maar het water kwam hen ook in de mond als Pavlov dat voedsel helemaal niet bij zich had. Dat is wat men noemt een conditionele reflex en daar zien we ook in ons eigen leven veel voorbeelden van.

Misschien brengt de geur van versgemaaid gras wel dierbare herinneringen uit je kindertijd omhoog. Of je hebt elke keer dat je iemand met een bepaalde naam ontmoet een onaangenaam gevoel vanwege een slechte ervaring met iemand met diezelfde naam. Dat zijn allemaal ankerpunten. Een ankerpunt is een vastliggende associatie of vast verband tussen een unieke prikkel (een beeld, klank, naam of smaak) en bepaalde gevoelens of een gemoedstoestand. Als bepaalde handelingen van iemand in verband worden gebracht met onaangename prikkels, ontstaat er zelfs een negatief gevoel over iets wat daarvoor prettig was.

*Voorbeeld: Jij en je zuster Donna werken samen,
maar zij vertraagt altijd de gang van zaken.*

Als Donna een keer goed op tijd is, doe dan op dat moment iets positiefs. Breng bijvoorbeeld goed nieuws ter sprake, herinner haar aan iets waar ze zich op verheugt, geef haar een complimentje over iets anders of bedank haar dat ze speciaal haar best heeft gedaan. In korte tijd zal Donna zo'n positieve associatie krijgen met op tijd werken, dat ze niet anders meer doet.

Samenvatting van de strategie

Vergroot de inzet, zodat de laatkomer niet alleen jou ongenoegen doet, maar ook zelf wat te verliezen heeft. Iemand zal beter zijn best doen naarmate de gevolgen van het te laat komen voor hemzelf ernstiger zijn.

Sommige mensen hebben van nature geen gevoel voor hoe lang dingen duren. School ze bij in de begrippen tijd en tijdsindeling.

Dat jij altijd op tijd wilt zijn en een ander te laat, betekent nog niet dat hij je daarom altijd gelijk moet geven. Spreek van tevoren samen af bij welke dingen hij te laat mag komen en wanneer hij absoluut op tijd moet zijn.

Gebruik de macht van de conditionering. Als iemand doet wat jij wilt – op tijd zijn – verbindt daar dan iets positiefs aan. Het zal niet lang duren of op tijd komen geeft hem uit zichzelf een positief gevoel.

Zie voor aanvullende strategieën:
Hoofdstuk 23: Zo leer je iedereen meer achting
Hoofdstuk 27: Stop onderhuids agressief gedrag bij iedereen

29

VERANDER DE ZEUR

Je houdt het nu echt geen moment meer uit, dat eeuwige gezanik en geweeklaag over alles wat je fout doet of niet doet. Als je het echt helemaal zat bent, stop het dan voorgoed met behulp van de volgende psychologische technieken.

Techniek 1: Elkaar gijzelen

Deze techniek berust op het goede oude gezonde verstand. Vraag de ander wat hij wil en praat daar dan kalm en rustig over. Het slechtste moment is als hij net zit te zeuren; dus als je allebei kalm en ontspannen bent, spreek je samen af wat je wilt – en wat je niet wilt. Als de vraag redelijk was, stem er dan mee in en houd woord. Maar als het iets is waarvan je denkt dat je het niet moet doen, zeg hem dan in een open en eerlijk gesprek waarom niet.

Zeurkousen zeuren omdat ze denken dat dat een goede manier is om hun zin te krijgen. Als ze echter merken dat het beter werkt om kalm te gaan zitten onderhandelen, zullen ze bij een volgende keer hun manier van doen wel aanpassen.

Voorbeeld: Een man en een vrouw vinden allebei
dat de ander te veel zanikt.

Als ze allebei ontspannen zijn en in een goede stemming verkeren, kunnen ze samen hun plichten en verantwoordelijkheden doorlopen. De hoofdregel is eenvoudig: een week lang en tot aan de volgende zitting kan geen van beiden iets veranderen of toevoegen. Als het bijvoorbeeld een van de taken van de man is om de vuilnisbak buiten te zetten, mag de vrouw hem daar niet aan herinneren voordat een bepaalde tijd verstreken is. Daarna mag ze zeuren zoveel ze wil, tenminste, als het zíjn taak was en hij het verzuimd heeft. Maar als iets niet op zijn lijst staat, mag ze één keer vragen of hij het wil doen en daarna mag ze het er niet meer over hebben.

Techniek 2: Schrijf het op

Vaak is het niet wat iemand je vraagt dat je zo ergert, maar de manier waarop – dat irritante, treiterige. Met *techniek 2* schakelen we de vervelende manier waarop de boodschap overgebracht wordt uit en concentreren we ons helemaal op het verzoek zelf.

Als woorden te veel lading meebrengen, schakel dan over op schriftelijke verzoeken. Opschrijven en daarna in het volle zicht opprikken heeft bovendien het voordeel dat het de ander er steeds aan herinnert zonder hem te ergeren.

Voorbeeld: Frank en Hillary hebben een
familiebedrijfje en Hillary wordt ervan beschuldigd
een zeur te zijn.

Alles wat Hillary van Frank wil zou ze, met haar inschatting van de benodigde tijd, op een stuk papier moeten schrijven en dat op een prikbord prikken. Als Frank er niet aan kan voldoen, schrijft hij dat erbij, met de reden plus een tegenvoorstel: of hij nog aan die taak toe denkt te komen en wanneer.

Techniek 3: De bliksemafleider

De bliksemafleider, uitgevonden door Benjamin Franklin, leidt gevaarlijke elektrische ontladingen af van het gebouw waar hij aan vastgemaakt is en via een weerstandsarme staaf de grond in. Hierdoor is hij voor een bliksemflits een aantrekkelijker mikpunt dan het gebouw. Onze psychologische techniek is net zoiets. Als de zeur zijn aandacht op iets anders, belangrijkers, kan richten, is hij niet meer zo vervuld of bezeten van zijn gezeur. Die 'bliksemafleider' kan van alles in jouw of zijn leven zijn, positief of negatief, zoals in het volgende geïllustreerd wordt. Door iets te kiezen wat heel belangrijk voor hem is, kan je hem trouwens vrijwel al het andere doen vergeten.

Voorbeeld: Een tienermeisje, Marga, wil dat haar
vader ophoudt tegen haar te zeuren.

Marga heeft een bliksemafleider nodig om haar vaders gezeur te doen ophouden. Ze zou hem kunnen zeggen dat er op dit moment in haar leven belangrijke dingen zijn die haar aandacht afleiden of opeisen, bijvoorbeeld: 'Frans kost mij nu veel tijd, want mijn beste vriendin heeft het er moeilijk mee, dus ik wil haar helpen en ik weet ook niet of ik wel zo gemakkelijk in die veeartsenijschool binnenkom, dus ik moet extra goed mijn huiswerk maken.' Nu is Marga's vader onder de indruk dat zijn dochter haar vriendin helpt en veel aan haar huiswerk doet en hij zal haar misschien meer vertrouwen geven en kleinigheden door de vingers zien. Mensen staan er niet bij stil dat anderen hun eigen leven leiden en dat zich daarin dingen afspelen. Door die dingen te noemen, helpen we hen hun aandacht te verleggen en geven zij ons ruimte.

Techniek 4: Het masker wegnemen

Alle gezeur komt maar op een ding neer: de ander wil gehoord worden, wil erkend worden. Je moeder klaagt in feite niet over wasgoed op de vloer of vuilnis dat buiten gezet moet worden of jouw manier van rijden, al klinkt dat wel zo. Wat ze eigenlijk vraagt is dat je haar gevoelens en wensen serieus neemt. Ze wil dat jij bezorgd bent om haar bezorgdheid. De reactie is dan heel simpel: geef haar wat zij verlangt voordat dat verlangen de vorm van gezeur aanneemt.

Hoe meer je je moeder prijst, des te sterker voelt zij zich staan om jou voor te schrijven hoe je moet leven – denk je misschien. Maar het tegendeel is waar. Hoe meer waardering en achting je haar toont, des te minder ze het nodig heeft je leven te willen controleren. *Techniek 4* kan dus uiterst doeltreffend zijn om iemands eindeloze gezanik een halt toe te roepen. Laten we eens kijken hoe dat werkt.

> *Voorbeeld: Patty bevit haar jongere zusje Peggy om*
> *heel haar doen en laten.*

Peggy zegt Patty waar ze respect en waardering voor heeft en hoeveel bewondering ze heeft voor wat Patty in het leven bereikt heeft – ook al is dat niet veel. Peggy zou kunnen zeggen: 'Zoals jij leeft dat vind ik wel geweldig, ik ben echt trots op je. En ik zeg het misschien niet al te vaak, maar ik waardeer echt alles wat je voor me gedaan hebt.'

Techniek 5: Eerlijk... duurt het langst

Natuurlijk kan je ook nog altijd voor eerlijkheid kiezen! Als je zuster bijvoorbeeld rechtuit zegt hoe zij je door haar gevit beschadigd heeft, kon je nog wel eens verrast zijn door haar reactie. Zeuren is niet mooi of leuk of onschuldig. Het beschadigt zelfs relaties. Onderzoek toont aan dat bij getrouwde stellen de intimiteit en de algehele tevredenheid over het huwelijk eronder lijdt. De zeur moet absoluut een andere manier vinden om haar wensen over te brengen, anders blijft er niemand meer over om tegen te zeuren. Hoe je haar dat duidelijk maakt is erg belangrijk, zoals het voorbeeld verduidelijkt.

Voorbeeld: Bert is het gezeur van zijn vrouw zat.

Bert omschrijft precies de schade die gezeur heeft berokkend. 'Ik wil je zeggen dat ik van je hou en dat ik wil dat we de rest van ons leven bij elkaar blijven. Ik weet dat ik dingen vergeet en dat spijt me. Maar we moeten een andere manier bedenken om mij daaraan te herinneren, want dit drijft mij van je vandaan. Het geeft mij het gevoel dat je de dingen die ik wel doe niet waardeert. Ik weet dat het mijn fout is, dus laten we samen kijken of er een betere manier is om elkaar te zeggen, hoe dingen gedaan moeten worden.'

TECHNIEK 6: VERMIJD DAT IEDEREEN VERLIEZER WORDT

Voor de zeur kan je het, hoe dan ook, nooit goed doen. Als je het gevraagde niet doet, wordt er nog harder gevit en als je het dan ten slotte doet, is er weinig dankbaarheid of waardering. Hij heeft het gevoel dat hij er aanspraak op kan maken, jij bent het hem verschuldigd. Door te doen wat hij vraagt, vereffen je alleen maar de rekening.

Daarom moet je dat automatische gevoel van aanspraak los zien te weken: behalve in een arbeidsverhouding is er immers geen regel die zegt dat de een speciaal dit moet doen en de ander dat. Verantwoordelijkheden zijn gedeeld en in een gezonde verstandhouding leveren beide partners hun bijdrage, niet omdat ze dat moeten, maar omdat ze de ander graag gelukkig maken. Dat gaat door gezeur nu juist verloren, zodat er alleen nog maar een lik-op-stuk relatie over blijft.

Voorbeeld: June's vriend is erg gezondheidsbewust en zeurt dat zij haar vitamines moet nemen.

June en hij spreken af dat hij elke keer als hij haar aan haar vitaminen herinnert, vooraf iets positiefs zegt en erna iets waarderends: 'June, ik weet dat je gezond probeert te eten. En om je te helpen herinneren: heb je vandaag je vitamientjes al ingenomen? Ik weet dat je er niet van houdt en het dus eigenlijk voor mij doet, dus dank je wel daarvoor.' Niet alleen zal June dan gemakkelijker naar het verzoek van haar vriend luisteren, ook gaat zijn aandacht uit naar wat zij goed doet. Zijn zeurhouding zal al snel plaatsmaken voor dankbaarheid.

Samenvatting van de strategie

Gooi de poorten van de communicatie wijd open en laat de zeur jou precies zeggen wat je volgens hem moet doen en hoe en wanneer.

Vermijd woordenwisselingen door de zeur al zijn eisen te laten opschrijven. Zo kan er geen negatieve klank of pesterij in gehoord worden.

Geef de zanik iets anders om zijn pijlen op te richten, zodat hij niet zo bezeten wordt door de kleinigheden die jij doet – of nalaat – en die hem zo hinderen.

Sluit gezeur van het begin af aan uit door de ander te geven wat hij nodig heeft: een luisterend oor, waardering, achting.

Laat de ander weten hoe zijn gevit jullie relatie aantast, zodat hij inziet dat hij er meer door verliest dan wint.

Als je de zeur zover krijgt dat hij zijn aandacht verschuift van wat je verkeerd doet naar wat je goed doet, maakt zijn gezeur plaats voor dankbaarheid.

Zie voor aanvullende strategieën:
Hoofdstuk 22: Breng in iedereen de romantische kant naar boven
Hoofdstuk 23: Zo leer je iedereen meer achting

TEN SLOTTE

Wat wij in het leven het meest nodig hebben, is iemand die ons laat doen wat we kunnen.
– Ralph Waldo Emerson

Met behulp van de technieken in *Zo verander je iedereen, inclusief jezelf* kan je de mensen om je heen een rijker en zinvoller leven helpen leiden. Je zult merken dat ook je verstandhouding met die mensen daardoor aanmerkelijk verbetert.

Zoals ik in het begin van dit boek in een *Bericht aan de lezer* al zei: bedenk dat elke verandering die je iemand wilt doen ondergaan er een moet zijn in zijn belang. Echte, blijvende verandering kan namelijk alleen plaatsvinden als iemand in zichzelf wil investeren en zichzelf wil verbeteren. En dat kan alleen als de verandering op den duur voor hemzelf het beste is.

Als je iemand wilt helpen een beter mens te worden, zul je merken dat je op bijna iedereen een belangrijke invloed krijgt om hem een gelukkiger, lonender en meer bevredigend leven te doen leiden.

Ik wens je een goede relatie en een goed leven.